医療機関のクロージングを考える

あるクリニックの撤退ケース

旭英幸と
竹田健康財団の仲間達

プロローグ

今、日本の「一般診療所」と呼ばれるクリニックの約10万5千施設のうち年間8千施設以上が廃止や休止に追い込まれています。

年率7%以上にもなるこの比率が高いのかどうかは比較の問題だと思いますが、30年前の廃止・休止が4035施設でしたので、休廃率が高くなっていると思います。

クリニックは、重要な地域医療資源であり、地域で暮らす人々のライフラインといってもよい貴重なものです。

ただし、どうして休廃止するクリニックが増えているのかとか、実際にどのように廃止されているのかということについては、あまりよくわかっていません。

本書は、クリニックのクロージングのリアルについてご一緒に考えてみたものです。

そのため、旭英幸先生のクロージングのストーリーを土台に、主に竹田健康財団の役職員らによって検討を加えたものです。

吾十有五にして学に志す
三十にして立つ
四十にして惑わず
五十にして天命を知る
六十にして耳順う
七十にして心の欲する所に従いて矩を踰えず

読みにくい漢字があるかもしれませんが、『論語』のあまりにも有名な一節です。
好きか嫌いかは別にして孔子の人生経験をひとの心的成長段階として表したのであろうことは理解できるでしょう。

三十歳に至って独りで立ち
四十歳で惑うことがなくなり
五十歳で天からの使命を知り
六十歳で人の話がよくわかり
七十歳になってからは、自分の心のままに行動してもルールからはずれることがなくなった

この本では、

三十代で一人前の医師となり
四十代でクリニックを開業し
五十代で医師を天職とし
六十代で患者さんの心の声を知り
七十代で人生を楽しみたいと閉院した

これまでの地域実践をなしとげた、一人の医師のストーリーから、これからの地域医療を考えてみたいという思いで企画したものです。

メインは第2部の旭英幸先生の開院からクロージングまでのクリニックの物語です。

旭先生は1995年から福島県会津若松市の竹田綜合病院の理事に就任されました。

この竹田綜合病院は、1928年、竹田内科医院開業、その7年後に竹田病院開設、1950年に財団法人竹田綜合病院を開設し、今日に至っています。

第3部・第4部は、この竹田綜合病院の理事会メンバーである竹田秀理事長、恩田監事、齊藤理事、三浦理事、筧理事および東瀬本部長などの皆様からおよせいただいた文章を組み込ませていただきました。

第1部は、本書の企画を担当した社会医療研究所の小山秀夫が、わが国のクリニックの現状と課題について書いたものです。

旭先生は、医師は開業するのが普通で、世の中に定年があるように、自らクロージングするのも医師の責任なのではないかと考えておられたことがよく伝わる内容になっています。

「終わり良ければ全てよし」と人は言いますが、クロージングは大きな決断がいります。有力な相談相手がいればいいのですが、実施には一人で考え一人決断しなければならず、とてつもないエネルギーが必要です。

戦国時代の武将伊達政宗には、「大事の義は人に談合せず、一心に究めるがよし」という格言を残していますが、たった一人で決断することが難しかったり、めんどうだったりすることは少なくありません。

この本をお手に取っていただいた皆様に感謝申し上げますとともに、本書がクリニックの開設者の皆様や地域医療についてご協力いただいている皆様のお役に立つことがあればこのうえない喜びです。

社会医療研究所　所長／竹田健康財団　理事　小山　秀夫

目次

第2部 旭英幸医師のケース

竹田健康財団 理事 旭 英幸

第 1 部

撤退の決断は不可欠

社会医療研究所　所長
竹田健康財団　理事
小山　秀夫

1. 医療機関のクロージングを考える

どうしても「経営」というとお金や利益の世界の言葉で「稼ぐ」「儲ける」「成長する」ための手段や方法という意味合いになりますが、利益のためでない（not for profit）非営利経営とか非営利組織というものが数多く存在しています。

お金は大切ですがお金だけで人は生きているわけではありませんし、儲けられる人だけが世界を支配しているわけではないことは明らかです。

大切なことは継続性です。しかし、生命にも組織にも終焉という時期が必ず訪れるという真理から人は自由になれません。

「有終の美」とか「終わりよければすべてよし」といいますが、始めることより継続すること、つづけることよりやめることの方がはるかに難しいのではないでしょうか。

事業の継承や事業からの撤退というテーマは、創業や事業展開そして事業継続と同等以上に重要ではないかと考え、何ひとつ成果や確信が持てないままでした。

創業や積極的な事業展開そして安定的な事業継続によって成功した事例については、数多く公表されたり、研究されたりします。

また、企業の倒産や不祥事についても、スキャンダラスに報道されて反面教師として注目される一方で、成功裏に市場から撤退し経営体が消滅したケースについては比較的関心がないというか、公表されることがごくまれなのです。

医療事業からの成功裏な撤退は、それほど難しくないと考えることもできますが、実はそのようなことの方がまれで、開設者の突然の病気や死亡後に事業の廃止作業が行われていることが多いのではないかと思います。

撤退には気力も体力も経済力も必要ですが、誰にも迷惑を掛けない廃業は、予想以上に困難であるという認識を事業経営者に自覚して欲しいと思います。

2. 医療機関の事業継承のリスク

この2ないし3年間を観察してみると、日本のクリニックのうち8000施設以上が廃止や休止に追い込まれている事実に改めて驚きます。年率7%以上の廃止・休止率ということになります。この比率が高いか低いかは比較の問題でしょう。

30年前の1993年の廃止・休止は4035施設、翌1994年が2652施設、1995年が3072施設で、廃止・休止率は4・8%、3・1%、3・5%となります。これが2020年10月からの12か月で8095施設、7・8%までに増加したことに関して注意深く観察する必要があります。

新たに創業された企業のうち、「10年後に生き残っているものは4分の1程度、30年生き残れる企業は5000社に1社」などといわれてきましたが、実際には1年以内に廃業する個人事業主も多く、クリニックと比較するわけにもいきません。

「クリニックさんは診療報酬で収益が確保できるので、開業は比較的容易です」とは不動産業種の人々の常識のようですが、誰でも成功するわけではないと思います。

ただし「1年以内に廃業した」という話を聴いたことがありませんし、逆に「創業してから30年以上経過した」というケースもそれほど多くありません。

クリニックを開設しようとする医師の年齢は「早くて40代、遅くて50代」などという人もいますが、45歳で創業し、医師1人で医業を進めるとすれば30年後の75歳で廃止です。

もしこれをモデルと考えると、創業から医師1人で診療を続け、30年以内に後継者がいなければ廃止するというのが普通なのかもしれません。

もちろん「28歳で地元に帰って開業、地域医療のため50年間経過した」という医師も、「49歳で開業、71歳で廃止した」というケースもありますが、開業のための初期投資が多く、営業期間が短いといえるかもしれません。

サラリーマン化が顕著な日本の人口当たり創業率（起業率）は比較的低く、「起業はリスクが高い」と考えられている文化なのだと思います。

今の80歳以上の医師と話すと「医学部卒業後10年以内に開業するのが当たり前だった」、「国立大学の医学部は月謝がタダ同然で、地元医療に貢献するのが当然だ」という時代だったらしいです。また、「インター闘争後から変化した」、「昭和期までは良かったが、平成以降は医療費の話ばかりになった」、「国公立が主という時代から私立大学中心の地域医療に変わったように思う」など、時代や人それぞれなのかもしれません。

クリニック開設者で60歳以上の医師の関心事は「後継者」問題の場合が多いようです。

「子どもが帰ってこない」といいますが、その子どもは「クリニックを引き継ぎたくない」、「勤務医の方が楽だ」、「親の苦労を知っているので開業医はヤダ」、「専門性が高い部署で働いているので、どんな病気でも診療なんかできない」、「とても無理だと思う」と、はっきりしている場合が少なくありません。

つまり、クリニック継承のリスク回避志向が強く、現状の家庭生活や職業生活を比較してみると経済的魅力も低く、地域住民との複雑な人間関係を円滑に構築することが困難であると判断しているのかもしれません。

では、事業継承のリスクをなるべく回避し、各種の困難を克服すれば後継者は増えるのか、といわれればまったく自信がありません。せいぜい「お気の毒に、ご子息・ご息女の自由です」としか返事できません。ただし、このようなことを「地域医療の確保」という観点から考えると、実子がクリニックを継承するケースは一定数確保できても、それ以上に事業継承者にならない実子の方が増加するかもしれません。

また、医師の実子が医師になるかどうかもわかりません。そのため、子が医師以外の多くの医師が、クリニックの事業を継承する仕組みを強固に構築することが求められてきているのではないでしょうか。

「事業継承に関する相談がある」といわれることがあります。

大した役には立たないのですが、廃業に関わる専門的な相談は「弁護士や公認会計士さん」にお願いするにしても、相談の趣旨はどうも「どのように決断するか」ということの方が多いのです。

『貞観政要』を持ち出すまでもなく、「創業と守成とはいずれが難しい」と問われれば、「創業より経営継続の方がはるかに難しいです」としか答えようがないのですが、私は「事業継続よりは事業のクロージングの方が遥かに難しい」と思います。

日本のクリニックは、世界と比較すると重装備だといえます。

骨塩定量測定20・8％、上部消化管内視鏡検査14・2％、大腸内視鏡検査6・3％、各種CT5・9％、MRI2・3％、これが2020年9月のクリニックの検査等の実施状況です。アメリカやヨーロッパのドクターズ・オフィスに大型の検査機器が並んでいることはめったにありません。

海外で「日本のクリニックにはマルチスライスCT16列以上が4000台あります」などと発言すれば、その場は騒然となるはずです。医療に限っていえば「日本の常識は、世界の非常識」なのかもしれません。

日本でクリニックを開設するには多額の資金投資が必要です。

多くの場合、医療機器に関する投下費用の回収に10年以上の歳月が必要です。その上、10年間隔で医療機器を更新しなければならないので、まさに自転車操業状態が継続します。

今の日本は、なにごとも右肩下がりの経済状態です。このような状況下で「クリニックのクロージングを前提に長期事業計画を立案してみましょう」などというと、多くの場合無視されます。

開業については「開業を決断後の相談」、廃止については「廃止すること自体の相談」となりますが、絶対成功する長期事業計画案は作成できませんし、資金の余裕がない突然の廃業は困難を極めます。

これまで幸いなことに医療は、一部で供給過剰はあっても、ライフラインとして必要だと認識され、クリニックを開設すれば、なんとか経営できると考えられてきました。

しかし、この先、安易に開設しても一定の患者さんが確保できない時代が到来することを想定せざるをえません。それゆえ、地域の医療機関の経営継続性の確保という観点から地域医療を考える必要があるのだと思います。

医療経営の継続性といえば、収益の確保と費用の適正値ばかりが注目されます。

しかし、事業継承という観点で考えてみると、そこには大きな課題があることがわかります。

3. 経営層は『貞観政要』を再読して欲しい

尼将軍と呼ばれた北条政子は、菅原為長に命じて『貞観政要』をかな交じり文に変換してもらい読んだといいます。まず、帝王の必読書として天皇に進講され、それが歴代将軍に読み継がれ、日蓮も筆写したことが確認できているとのことです。

『帝王学「貞観政要」の読み方』（各社版アリ）を書いた山本七平は、「貞観の治」―それは中国では、理想的な統治が行われた時代であり、日本は「唐の時代の影響を最も強く受け、後に宋学の影響を受けた」というべきで（中略）、唐が衰退・頽廃の時代に入ったころには、遣唐使の派遣をやめてしまって、すでに得たものを自己の伝統の中に組み込むことに専念していた。従って、『貞観政要』的考え方・見方は、一種の「感覚」（センス）となって現代にも残っている、とかつて書きました（注1　山本七平『帝王学』日経ビジネス人文庫045、15頁）。

読んだことのない人でも「創業と守成いずれが難きや」という日本的表現の問答を、聴いたことがあるだろうと思います。創業することと、その事業を継続することでは、はるかに維持することの方が困難だという戒めのような口伝は、日本の組織文化にしっかりと根付いているのではないかと思うことが、時々あります。

創業に成功して、権力構造がほぼ固定すると、トップの周りは「イエス・マン」ばかりになる。この人たちはトップの偉功を笠に着て、陰険で横暴な権力を下部の人々に振るうことが多い。組織内に無規範がはびこり、上司に対する「情報遮断」が起きる。「個人の破滅、事業の失敗、一国の破滅はまずこのあたりからはじまる」と山本は解説しています。

『貞観政要』は、漢文だけなら80頁もありません。守屋洋訳（ちくま学芸文庫）は、文庫本253頁、『NHK100分de名著』にもあるし、出口治明の『座右の書『貞観政要』中国古典に学ぶ「世界最高のリーダー論」』（角川新書）も読みやすいです。

竹内良雄・川﨑享の『『貞観政要』に学ぶリーダー哲学』（東洋経済新報社）の目次をみると以下のよう

になっているのが楽しいです。

1　リーダーとしての度量
2　人の声に耳を傾ける
3　人財を徹底して活かす知恵
4　引き際の美学を求めて

読書好きな私は、少なくとも山本七平の『帝王学』の再読を重ねています。別に偉くなりたいとか、まして帝王になりたいわけでもありませんが、「人はナゼ失敗するのか？」という自問自答の答えが『貞観政要』に行きついたにほかなりません。

今、組織の経営層の人々の多くは、パンデミックが一応収束し、再起をかけて事業に邁進しようとなさっています。

心が折れてしまった幹部職員の対応に迷うリーダー、深く考えているのですが慎重すぎて決断できない人、悩んでいるのにどこか肯定的・積極的になれない人、傷ついたところやダメなところはよくみえているのに目的が今一つ明確にならない人、他の人と比べると自分にはリーダーシップも経営手法も不足していると思い込んでいる人、やる気もあるし体調も問題ないのに「失敗」の恐怖から自由になれない人、過去の苦い経験から人事の件で切ることも昇格させることも躊躇してるい人、何しろこの先の経営状況に対して自信が持てない人、後継者問題を抱えている人、がたくさんいるように思います。

そんなことない人は、思い切り職員と話し合って果敢に事業を進めましょう。

そうでないと思う人は、もう一度『貞観政要』を手に取り、静かに読んでみてください。リーダーシップ論としても、名著と判断できますし、これだけの関連書籍が版を重ねている事実は貴重だと思います。

『貞観政要』の中でも特に重要な「引き際の美学」とか「撤退の決断」が、事業経営の根幹にかかわることなのだという、明確な認識が経営層には不可欠だと思います。

なぜならば、形あるものはいつか消滅し、永遠の繁栄も不老長寿もありえない世界にわたしたちは生きているからです。

4．撤退の決断の重要性

戦いの歴史を書いた「戦記」というジャンルの書籍は膨大にあります。世界中の戦記関連書籍の発行部数では『三国志』か『ナポレオン戦記』ものが多数であると思います。英雄列伝は興味深いのですが「撤退戦」に関する書物は、貴重な教訓を歴史に刻んでいると思うのです。

アフガニスタン撤退戦、ベトナムからのアメリカ軍の撤退戦は記憶に新しいのですが、史上最大の撤退戦といえば、第2次世界大戦の西部戦線における戦闘の一つで、ドイツ軍のフランス侵攻により1940年5月24日から6月4日の間に起こった「ダンケルク」での戦闘でしょう。

追い詰められた英仏軍は、この戦闘でドイツ軍の攻勢を防ぎながら輸送船の他に小型艇、駆逐艦、民間船舶、個人所有のボートやヨットなどすべてを動員して、イギリス本国に向けて40万人の将兵を脱出させる作戦（ダイナモ作戦）を実行したのです。

半藤一利・江坂彰『撤退戦の研究―日本人は、なぜ同じ失敗を繰り返すのか』（光文社、2000年）は、太平洋戦争の失敗の本質は、現代まで続いている日本人の弱点であり、日本人は撤退戦が上手にできない民族だということを「成功の復讐」、「精神主義の呪縛」、「戦略なき膨張」あるいは「魔性の歴史―負けると分かってなぜ戦うのか」などと述べています。

半藤さんは「太平洋戦争の日本軍のリーダーを見れば、良くこれだけ無能なリーダーで戦争したと思うほど無能なリーダーばかりです」（96頁）と断言しています。

本当にそうだったのかどうかは、よくわかりません。半藤さんは、多分、作戦準備とか勝ち戦の間は大丈夫だが、負け始めると何も決断できないリーダーが多かった、といいたかったのだろうと思います。

ただ、撤退戦で決断できないのが日本人の特性だといわれると、何とか反論したくなりますが、反論の根拠は僅かです。

わが国の戦国時代には数多くの撤退戦の物語がありますが、幕末の徳川慶喜の大政奉還、江戸城無血開城などは、歴史的な「決断」の物語だといえるでしょう。

明治維新以降の日本帝国陸海軍部による「撤退」は、なぜなのか「転進」と言い換えられて、撤退は不名誉、ついでに敵の「捕虜になる」のは恥、だから全員死ぬまで戦って「玉砕」しろという精神構造が形成されていったのだと思います。

太平洋戦史の中で「奇跡の撤退戦」と呼ばれる1943年7月に行われた「キスカ島撤退作戦」では、アリューシャン列島北部のキスカ島から包囲していた米軍艦隊に全く気づかれず、日本軍が無傷で守備隊全員の撤収に見事に成功した好事例があります。

その他の撤退戦は、ことごとく大量の犠牲者をだすか、文字通り「玉砕」の歴史を重ねました。

1945年3月10日、東京の浅草を中心にした下町に対して深夜0時過ぎから焼夷弾による空襲が行われました。この日だけで死者10万人、罹災者は100万人を超え、史上最大の都市空襲としての大虐殺は「東京大空襲の日」として記憶されています。

26日には沖縄の慶良間諸島に米軍が上陸し、血みどろの沖縄戦がはじまります。

そして、5月7日にドイツ軍が正式に降伏しましたが、それでも日本は敗戦を決断できませんでした。

歴史のどこかに「もし」が許されるのであれば、その後の大量の非戦闘員の死も2度にわたる原爆投下も避けられたのかもしれないのです。

名著『聖断—昭和天皇と鈴木貫太郎』を書いた半藤さんにしてみれば「敗戦の決断」が遅れたのは、全て軍部の責任であり、「無能なリーダーばかりです」としかいいようがなかったのかもしれません。ただし、それが日本人の特性かどうかは分かりません。理解できることは「撤退の決断」が極めて大切だということです。

戦後の日本が「奇跡の復興」を果たし、高度経済成長の大波にうまく乗れたものの、その後の産業転換や大企業の多角化経営やダウンサイジングに失敗し、国際競争力を毎年のように低下させているかもしれないのです。

決断力の低下が大企業だけならいいのですが、中小企業も官僚組織も政治の世界でも、その上個人事業主でも低下しているとなると、日本全敗の精神構造が形成されているのではないかと心配になります。

5. 医療機関経営の撤退の決断

クリニックとか病院の経営問題にかかわっていると「撤退の決断」が一番大切だと思い知らされます。なんでもそうなのかもしれませんが「やめなければならない状況に陥っているのにやめない」のは、問題を雪だるま式に大きくしてしまう恐れがあります。

世の中には、スローイン・ファーストアウトという言葉がありますよね。何もカーブでのドライビングテクニックのことだけではなく、アウトは速くということで、やめるための作業を一気呵成にすることが必要だということです。

いうだけなら簡単ですが、これがなかなかできないのが人間です。人がいつ死を迎えるかを正確に判断できないように、どの時点が「辞め時」なのかという判断は難しいのです。

感情的には未練もありますし、損したくないという思いもあります。全てから解放される喜びより、将来の不安の方が大きくなることも多いでしょう。

それでも「続けられるまで続ける」ことで、周囲に迷惑がかからないのであれば続けても良いでしょう。ただ、事業を行っているのであれば、いつかは自ら撤退を決断しなければなりません。撤退の決断を誤ると晩節を汚す恐れもあります。

実際に医療事業を継続中に急逝した医師の家族が、てんてこまい状態になり、よくない人間関係に引き込まれるという結果になってしまったこともあります。

撤退の意思決定は明確に迅速にお願いします。撤退の時期を誤ると悪いことばかりが連続的に起こることは、企業倒産の顛末が多くを物語っていると思います。

では、なんでも速めに撤退すればよいということではなく、順風満帆な経営状態で体力も気力も十分ならやめる必要はありませんが、今のような右肩下がり経済では多くの場合、撤退は「イエス」のことが多いです。

医療経営能力のある医療組織は少なくありませんし、倒産一歩手前の病院が別法人によって再生する事例はいくらでもあります。

苦労して医療機関を経営しても、大きな成長はできません。自分の身の丈に合ったところまで成長したら、あとは衰退が待っているのです。

永遠にイケイケどんどんと続くわけではありません。創業100年以上の医療機関はいくつかありますが、3代、4代の代替わりを成功に導くのは決して容易ではないのです。

医療機関の事業継承それ自体、大作業がともなうことを理解できない医療経営者は、事業継続能力に問題があるのでしょう。

最近「やめようか」「やめたい」と話す医療経営者が増加しているように思えてなりません。「まず、ご自分で決断してください」とアドバイスしていますが、結局「やめることを決断できずにブツブツいっている」だけにすぎません。

サラリーマンではなく自らが事業主の場合、何しろ「決断」を迫られる場面が多いのです。

サラリーマンでさえ辞表を出すかどうかの決断は、大きなイベントです。まして事業のクロージングに関しては、共に働いてきた職員や地域のステークホルダーの生活問題が発生しますので、一度「やめる」と発言したら直ちに決断して撤退することがベターです。

最近の医療機関の経営状況を観ると、どう考えても順調なのは3分の1程度で、3分の1はサバイバル状態、残りはどうにか経営継続しているという状況ではないでしょうか。

「やめたい」といいたい人は沢山いるはずですが、そういわずに是非、有利な辞め方を検討する時期なのだと考えていただきたいのです。

医師は年齢に関係なく、体力さえあれば高齢になっても働く場所は比較的多いと思います。医療経営で苦労し続けても、診療医としての人生を全うできれば良いはずです。

仮に生涯不安のない資産が形成されているのであれば、豊かな家庭生活や奥深い文化生活を楽しめれば幸福なのではないでしょうか。

6. 人口が減少中の地域医療

厚生労働省が約4か月遅れで毎月公表している「医療施設調査」と「病院報告」をみてみましょう。直近の数字は2023年8月概数というものです。

まず、パンデミックの影響がなかった4年前の2019年9月から数字を追うと、病院数は減少し、一般診療所数は微増です。

病院の入院患者数も外来患者数も2020年3月から急激に減少し、9月ごろには落ち着いたものの、4年前の水準に戻ることはありません。特に、病院の入院患者は約10%減少したままです。

病院報告の2019年9月と2022年の9月の数字と比較してみると、病院全体の外来患者は9月の1日当たり平均患者数で約2万人、1・6%減少ですが、一般病床の平均入院患者数は月間で7万6千人、12・7%減少しています。

自治体病院を中心に多額の補助金が支払われたことにより、病院経営が好転するという一過性の現象が起きましたが、病院の数字をみていると、患者数という点では病院経営は一部の高度急性期病院等以外は長期低落状態が継続し、今後も好転する兆しはみえません。

日本全体の病院を一緒くたにして数字をみていると正しい判断はできません。

人口が毎年1％以上減少している地域と、減少しない地域、そして微増している地域で比較してみる必要があると思います。

人口が微増しているのは大都市部ばかりで、実は多くの市町村で人口が毎年1％以上減少しているという事実に注目する必要があると思います。

このような地域では、病院を維持することも、医療を確保することも、必要な福祉施策を展開することも限界です。

特に厳しいのは人口10万人以下の市町村です。複数ある急性期病院の全てを急性期病院として維持することは難しいです。それでも5万人以上の人口がある自治体であれば、まだ打つ手はあります。

しかし、日本の市町村の6割程度を占める約千の自治体は人口5万人以下で、なんと1万人以下も約500もあるのです。何年も前から指摘されているにもかかわらず、人口1万人以下の自治体で生活している人口は約258万人で、総人口の2％程度に過ぎません。

たとえ関心があってもどうしようもないというか、平成の時代の市町村合併施策に何らかの理由でのれなかった結果とみなされているか、それとも合併する意思が住民になかったか、ただ置き去りにされたままかなのです。

都市に住む人は人口1万人以下の自治体で生活している人々を置き去りにしているつもりがなくても、そうしているのではないでしょうか。こうした自治体の医療や福祉の現場に直面してみると、なるほど「限界集落」なのではないか、というラベリングをしてしまいかねません。

人口の30％以上が高齢人口であることは珍しくなくなりましたし、人口1万人以下の自治体で病院があることはけっしてまれではありません。

しかし、このような地域で介護や障がい福祉サービスを確保することは、難しい場合が多いのです。

各年齢階層別の死亡率、医療機関への受診回数、介護保険サービスの利用状況、各種障がい福祉サービスの利用状況などを並べてみると、確かに格差が生じていることが分かるものの、その地域に生活する人々にとって、やむをえないこととして納得されているのかどうかは分りません。

現実を受け入れて諦めているのかもしれませんが、だからといって問題や課題を置き去りにするようなこと、つまり、みてもみないようなふりをしていてはダメですよね。

現在の医療政策議論で「かかりつけ医制度」が展開されていますが、正直いって理解できていませんし、何が目的なのかが不明で、どう考えても政策意図というか、もっと単純化すれば動機が不純なように感じてしまいます。

医療費が増えてその負担が大変なことはよく理解しているつもりですが、その前に「医療過疎地で働きたい、でも現実には困難です」といっている数少ない医師達の声を正確に聴く必要があるのではないかと思います。

医療費負担を軽減させるために患者サイドのビヘイビアを変化させ、診療側を経済誘導して医療費が増加しない仕組みを作り上げるということを考えることは自由です。

しかし、世界の医療政策の歴史的展開を調べてみれば、そのような政策が成功したと正当に評価されることはなかったのではないでしょうか。

米国でのマネジド・ケアという医療費抑制のための各種手法は、技法ということでは発展しましたが、それでどの程度まで抑制できたのかどうかという政策的エビデンスは乏しいと思います。

わたしたちは今、広範で多くの課題が山積といわれる医療分野で、人口が減少している地域のクリニックや病院の経営継続や地域住民のいのちと暮らしを守る地域医療を考える必要があると思います。

7. 確実にクリニック減少時代が到来する

統計的な話ですが、「医療施設調査」の2018年と2019年の9月の一般診療所数を比較すると、527施設増加しています。その後の1年間は414施設、さらにその1年後は1416施設、そして2021年9月からの12か月で728施設増加しました。

日本の病院数は年々減少しているにもかかわらずクリニックは微増傾向にあります。これにともない、クリニックで働く医師も施設数増加以上に増えています。

厚生労働省は2年毎に、12月末日現在の「医師・歯科医師・薬剤師統計」を公表しています。直近の報告は2020年末の数字です。これによると医師数は33万9623人、うち女性が22・8%、病院の従事者が約64%、診療所が約32%、人口10万対269人、平均年齢は52・4歳だそうです。診療所で従事する医師10万7226人のうち女性は20・8%、平均年齢は60・2歳です。

診療所医師の年齢階層別構成割合をみると40歳以下は僅か5%で、78・1%が50歳以上で70歳以上は21・8%となり、男女比では年齢階層が高ければ高いほど男性の比率が高くなっています。

日本の地域医療を支えるためにクリニックの医師は大切な役割を担い、貢献していますが、その中心は60歳代の男性医師達なのです。ただしこれからもクリニックで従事する70歳以上の医師は増加し、女性の比率も高くなる傾向が続きますが、クリニック数がこのまま微増傾向が続くかどうかについては、よくわかりません。

廃止されるクリニック数は年によって差がありますが、この10年間では年間に4000から9000までありました。開設されるのもこの範囲です。

数字はあるし、地方厚生局別に経年集計すれば正確な数値が理解できるはずなのですが、正直いってクリニックの人口規模別、自治体別、年齢別、性別別の動向までは正確に把握できていません。

ただ、都道府県別に観察するとクリニックが増加しているのは大都市部で、それ以外ではすでにクリニックが減少し、人口密度が高い地区ばかりに新設されている傾向があることはわかります。

もう少し精査してみますが、近い将来、人口規模が少ない自治体にあるクリニックが急減し、クリニック数が全国的にみても減少する時代になるのです。

8. 医師はどこで働いているのか

指定都市および中核市人口の10万対男女別医療施設従事者医師数をみると、吹田市が589、高槻市431、熊本市428の順となり、低い順では豊田市132、いわき市136、川口市148人となります。最低と最高は約4倍の差があります。

吹田市には大阪大学医学部附属病院をはじめ病床数の多い病院が数多くあります。

実は川口市にも数多くの病院がありますが、死亡数と出生数の差による「自然増加」と、人口流入と流出の差による「社会増加」が急激で、過去30年間で4割近い人口増加がありました。そのため、人口10万人対医師数では低い数値になるのだと考えられます。

人口10万対100人台ということは、1万人で1人か2人の医師ということになります。

2022年10月1日現在の日本の1741市区町村で人口3万人以上は44%にすぎません。人口1万人以下5475、千人以下306という結果です。人口1万人以下の市もありますし、千人ギリギリの町もあります。

無医村というと医師がいない村だけではありませんし、人口10万に換算すると200以上になる村や町もあるということを理解する必要があると思います。

医療過疎地では、クリニックはあるものの医師はその町村には皆無で、週1ないし2日開かれる場合や、週1回の巡回診療があるという場合もあります。

医師の定住が困難な地域でオンライン診療や訪問診療・各種訪問医療サービスあるいは緊急時の患者移送体制が普及されれば多少は住民の診療不安が軽減されるかもしれません。

当面の課題は医療過疎地でのクリニックの継続性を確保することだという意見もあります。

医療過疎地で高齢の医師が1人で開業して診療を継続している現状では、その医師に何かあれば後継者難で無医地区になる恐れが常にあるのです。

日本の医療は、医療過疎地で働きたいと考えるまともな医師を全面的に支援していませんし、医療現場を調査することなく机上で医療費抑制策をこねくり回しても、大きな成果はえられないのではないかと思います。中途半端な改革をすると、ギリギリの状態で地域医療を確保してきた独自のシステムを崩壊させ、決して再生できなくしてしまうことがあります。

これまでに診療側が対策をしつつも抵抗した結果、せっかく構築されてきた医療費保障システムや地域医療自体を持続できなくなる恐れが生じるリスクがあったこともあります。

医療過疎地で高齢の医師が1人で開業し診療を継続して現場を現地・現実・現在で把握してみれば、その医師に何かあればどうなるのかを想像することは簡単です。

無医村とか医療過疎地対策はこれまで多大の努力が積み重ねられてきましたし、今後も制度政策として展開されると思いますが、政策目的の明確化、ICT技術などの最大活用化、何よりも過疎地で働こうとする医師に対する心理・社会的な支援を前面にださないと難しいのではないでしょうか。

全国の医師という職業人の一人ひとりの考え方も行動も多様ですが、職業選択に当たり単純に「人の役に立ちたい」と考えた人が多数だと思いますし、どこかの時点で医師不足の地域で貢献してみたいと考えることも少なくないのではないかと思います。

もちろん、生まれ育った場所で働きたいとか、いずれ海外で勉強し活動したいと考える人もいるでしょう。これって普通ですよね。ただ「人のいのちを自らの力で助けたい」と考えるかどうかで分岐点があるかもしれません。

前に書いたように「医療過疎地で働きたい」と考えている医師は、少数派ではないように思えてなりません。

このような医師の選択肢を身近に多数用意してある環境が必要なのではないかと思いますし、60歳過ぎからでも「医療過疎地で働きたい」と考える医師の知人もいます。

こんなことを起点あるいは前提とした心が通じる医療政策とか医療システムが欲しいのです。

9．クリニックが減少するとどうなるのか

2022年12月末の「医療施設調査」の一般診療所概数は10万5318施設であり、前月末より27施設減少しています。

これまで毎月、一般診療所数は微増傾向でしたが、いつかは減少に転ずる時代がきます。日本の医師の3分の1がクリニックで働き地域医療のかなめとして津々浦々で貢献してくれていますが、地域にとって大切なはずのクリニックの将来に不安があります。

2022年9月末に、2021年10月1日現在の詳細な「医療施設調査」の結果が公表されましたので、一般診療所の動態状況をみてみましょう。

2020年10月1日からの1年間で一般診療所の開設は9546、再開が229施設で、廃止は7612、休止が483施設で、差し引き1680施設増加しました。

この数字を2019年10月1日からの12か月でみると、開設は8302、再開が398施設で、廃止は

７７７０、休止が９３４施設で、差し引き４施設減少。２０１８年10月からの数字を並べてみると、開設は７７６８、再開が２１８施設で、廃止は６９８２、休止が４９３施設で、差し引き５１１施設増加しました。

一般診療所の動態状況

	2018 年	2019 年	2020 年
開設	7,768	8,302	9,546
再開	218	398	229
廃止	6,982	7,770	7,612
休止	493	934	483
差引	511	△ 4	1,680

各年医療施設調査の概況より

この36か月の間に、日本のクリニックの4分の1弱で開設・再開・廃止・休止のドラマがあったことになります。

世代交代などでスムーズにクリニックの事業継承ができた件数は開設者の交代件数を調べればわかりますが、まとまった報告はありません。

休止というのは開設者が何らかの事情で事業を継続できなくなった場合の届出ですが、休止から廃止になる場合も半数近くありそうです。

毎年7000施設前後の廃止ということは、クリニックの約7%に相当します。この3年間だけみると、約2割のクリニックが廃止したことになりますが、新規開設がそれ以上あったことになります。

今、観ている数字は3年分ですが2020年2月に新型の感染症が報告されてから地域医療は混乱しましたので、この期間を含む数字をみる場合には注意が必要です。

ただ、パンデミックの宣言がなされる前までのクリニック数は微増傾向。その後は廃止施設が増加して、月別にみれば新規開設より多かったことがあることになります。これから先、どのようになるかは予断を許しません。

クリニックについてこれまでいわれてきたこととして、ビルの中に開設する「ビルクリニック」が増加し、夜間休祭日の医療が確保できなくなる、クリニックを開設する医師が高齢化する、「1人診療」が難しくなり複数の医師が勤務するクリニックが多くなる、といったことが指摘されてきましたが、これらは事実です。

また、長期処方が普及することにより外来患者の診療間隔が長くなり、医師1人1日当たりの外来患者数は減少しました。「3分間診療」と揶揄されたこともありますが患者1人当たり診療時間は増加する傾向があります。

「往診」をしなくなる医師が増加傾向にある、というようなこともある程度事実でしょう。

しかしながら、診療別、地域別にみると何ともいえない場合もあります。「往診」については「往診専門クリニック」の増加、救急車の搬送件数の増加などの影響もあるかもしれないし、交通事情の改善や高齢者向け住まいの増加が影響する場合もあるかもしれません。

人口減少社会にあって、都市部に人口が集中するという傾向が明らかです。また、クリニックの増加は都市部にしかみられないし、大都市はクリニック数が増加し、過疎地ではクリニックの数は微減で、そこに働く医師数も減少している傾向にあります。クリニックはあるものの医師が常駐しているわけではなく「週1日」とか「週2日」といったところも増加しています。

こうしたことを考え合わせてみると、当面は日本のクリニック数は急増も急減もしないものの都市部への集中がしばらく続くように思えてなりません。

どう考えても都市部以外のクリニックの継続が困難となり、日本全国ではクリニック減少時代が到来し、地域医療の再確保が医療供給体制の大きな課題になるのではないでしょうか。

医療技術の革新や総合診療医の必要性などによっても、変化している可能性があります。慢性疾患などで対症療法的薬剤治療の治療法が変化したとか、難治性疾患が治療可能になるという技術革新の恩恵もありました。診療科別の専門分化が進む一方で、総合診療医の必要性が主張されることも多いです。

日本のクリニックは、時代とともに大きく変化してきていると判断できるかもしれませんが、クリニックに受診する患者さんの8割程度は生活習慣病や各種感染症を含む「普通の病気」（コモンディジーズ）だということです。それゆえ、コモンディジーズに適切に対応できるかが求められている、という意見もあります。

クリニックの将来を心配する根拠のひとつが、クリニック開設医師の高齢化です。医師の3分の1はクリニックで働いていますが、そのうち51・5％は60歳以上で、平均年齢は60・2歳です。クリニックで働く70歳以上の医師は2万人以上います。これらの高齢な医師は地域の貴重な医療資源です。病院ばかりではなくクリニックは地域生活の貴重なライフラインですので、なくてはならないものです。

今後はICT技術を最大限に活用し、オンライン診療などを含めて地域のクリニックを守り、地域医療を確保していくという合意の形成が最重要課題だと思います。

第2部
旭英幸医師のケース

竹田健康財団　理事
旭　英幸

旭　英幸　略歴

1982年　獨協医大眼科入局
1985年　土地購入
1988年　ドイツへ
1991年　開業（旭眼科内科クリニック）
1993年　子どもの交通事故
1995年　竹田綜合病院理事就任
1995年　栃木県眼科医会理事
1998年　社会保険庁からの電話あり
2000年　国の色覚検査廃止
2005年　栃木県眼科医会副会長
2008年　眼科救急医療立ち上げ
2010年　宇都宮市医師会理事として　開業に関し賛成を唱える。

2021年春　クロージングを決意
2022年2月始　従業員へクロージングの発表
　看板業者への看板撤去依頼
　医療機械の処分開始
3月　税理士にクロージングの手続きを依頼
　医療法人並びにコンタクト販売の有限会社の閉鎖
3月末　クロージング（旭眼科内科クリニック）
　看板撤去完了
　保守点検・保険の解約
　電話・電気の停止依頼
6月　クリニックの土地建物を売却
9月末　電話・電気の請求完了
10月　有限会社閉鎖を承認される
2023年3月　医療法人閉鎖を承認される
5月　税理士、司法書士への支払い、県税を含めての支払い

1. 医師になるまで

私は、若い頃医師という職業に対しては特別な感情を持ってはいませんでした。

私が23歳の頃、1972年の社会構造は、学生運動が終息した後、書物や様々な報道で示されているように、右肩上がりで好景気でもあり、一般の職に就職するには不自由ではなく、就職希望者側が有利なようでした。

オイルショックなど国中が大騒ぎになった時もありましたが、その頃の国力で反撃したようでした。その後も他国との競争にも勝ち急激に飛躍もしており、比較的優雅な世の中であったようにも思えます。

私は大学で化学を専攻していたこともあり、化学一般、特に製薬会社および化粧品メーカーを中心に入社試験に臨んでいました。

その頃は入社試験の申込をすると、形だけのテストがあり、その日に面接を行い、帰りがけには会社より交通費が支給されることが多かったようでした。ある友人は節操もなく毎日のように会社訪問をしていたことを覚えています。

そしてある製薬会社への入社を私は決めました。

入社決定時、人事部の取締役より「私はいずれこの会社を退職しなければなりません。今後どのようにと考えると思うと、次の仕事ならびにどのような生きがいを持つかを考える必要があるかと感じています。そして人間社会人には定年があります」と聴かされました。

私は親をはじめ自分の周りを見渡すと、会社員や公務員が多くいることに気づきました。その中には、企業の第一人者と言われた方もおり、それなりに活躍していました。

しかしその方もある歳となり、定年を迎えることに気づき始めていたようです。大きな会社で華々しい活躍をするもその期間は限られたものであり、その活躍がいかに大きくてもやはり若い者には、あまり受け入れられないものもあります。

最近では能力のある会社員、公務員は早期退職し、起業していく人が増えました。その時代でも知己のある者は自分の生き方を考えているようでした。

そこで私は単純に定年のない職業として医師を選択したのです。しかしながら、今回クリニックを閉じるにあたり、どの職業にも定年があることを実感しました。

医師を志す

世の中には、種々雑多な職業があります。人が職業を選択する場合、自分自身の営利のためにどのような仕事に就くかと考えるのは当然でしょう。

よく入学試験や入社試験の面接時、「人のためになる職業に就きたい」と強調します。それは当然で問題はないですが、それは表向きであり、心の奥には少しでも自分自身が裕福で良い生活をして、年齢を重ねた時、楽な一生をも頭の片隅に置きつつ、大きな期待を持って高給を目指すのです。このことを私は決して否定はしていません。

ある投資家が「金儲けはどこが悪いことなのですか？」と話していたことを私は覚えています。非合法であるならば、必然的に処罰されるわけですが、合法的であるならば決して問題はなく、私は賛辞を贈ります。

また手に職をつけて宮大工やそして芸術家や俳優を目指すこともありでしょう。そして国家、国民のために政治家を志す方もいるでしょう、お金のために政治を目指したのではないと信じたいです。

さらにＩＴ、ＡＩを駆使して多くの技術を開発し、おおいにお金を得ることも良いと思うし、そのことにより国自体がさらに繁栄していくことを期待します。

また弁護士や公認会計士など国家資格を取得して営利を求めることもあるでしょう。医師も医学部を卒業し医師国家試験を経て資格を取得するわけです。

大方の医師は医師会に入会して活動します。その医師会の綱領の最後に、営利目的で医療を行ってはいけないと明記されています。

もし営利目的に医療行為を行うのであれば、医療保険での請求は必ずしも非合法ではないですがやや問題があります。営利目的で医療を行う医師の医療行為すべてを自由診療で行えば問題はありません。

眼科医を志した理由

私が眼科医を選択したのは、たまたまでした。

特に近親者に医療関係者がいないこともあり、また現在のように卒後臨床研修時でのマッチングがあるわけでもなく、医師免許を取得したならば、出身大学のいずれかの科に入局する風潮がありました。あるいは親が開業しており、そしてその後、親の診療所を継承するならば、地元の大きな病院や親の出身大学に入局するようでした。

私は、尊敬している先生の一人である、眼科教授のところを国家試験合格の報告、ならびに今後の進路についての相談を兼ねて訪ねました。なにしろ学生時代、公私にわたり何かと世話になっていた教授だからです。

私がまだ入局科を決めていない旨を話すと、その教授はすぐに眼科入局を勧めるわけでなく、私の立場も考慮しつつ、いくつかの診療科の状況を説明してくれました。

その説明は、それぞれの科の教授の考えや、科の雰囲気や今後の私の生きざまを考えた上でのお話でした。そして両親が東京とのことで、都内の大学も紹介可能なことも告げられました。

そこで教授は「まずは眼科医局で昼飯でも食いながら考えよう」と言われ、医局に連れていかれたのがすべての始まりなのです。医局でラーメンを教授とともに食したのです。

「一杯のかけそば」ではないですが、一食一飯の恩を感じ、そのまま眼科入局を決めました。

今も昔もそうでしょうが医師という職業を選択することは、親の跡を継ぐことから始まり、もしくは壮大な医学に対する理想を掲げて医学部に入学する人物は、入学時から選択科についてある程度決まっているのでないでしょうか。しかし私のような考えで医学部進学、入局を決めるのも面白いのではないかと考えています。

2. 開業する

開業のための一つの準備

1988年、私は大学の眼科医局からある私立病院に眼科新規開設の目的で派遣されました。その病院の院長先生は、海軍兵学校出身で1940年12月USA、パールハーバー第一次攻撃隊に加わった航空兵大尉であったそうです。

戦後、医学部に進学し消化器外科を専門にして、古くからあるその病院の院長に就任しており、ずいぶんと包容力ある人物で職員に尊敬されていました。

病床数は当時250床位でした。外科以外、内科、整形外科があり、その地域の中核病院となりつつあり、病床を増やし総合病院への移行を目指していました。そのため眼科や耳鼻科の開設が必要であったとのことです。

その病院には、なかなかやり手の事務長がおり、多くの大学を訪問して人材を集めていました。そして薬剤部、看護部を含めて、大学に準じた薬品、教育に医師の希望を聞いてくれ、病院の方針を打ち立てていました。

私はいずれ開業を考えておりましたので、その新規眼科開設を、自身の開設に見立て予行演習を実施することにしました。

医療機械の購入、そして眼科検査スタッフ、事務スタッフの教育を行いました。また、与えられた部屋での自分に即したレイアウトを考えました。新規立ち上げのため病院の協力もあり、自分ながら楽しい時間でした。

その頃、弟（厚史）が大学院卒業後ドイツ・アーヘンの大学へ留学しており、姪が誕生したこともあり、良い機会と思い6月頃ルフトハンザ航空でドイツへ行きました。弟は留学先の大学事務員を私に紹介してくれて、その方にボン大学を見学させてもらいました。

ボン大学は眼底検査の道具として、ボン大式スコープの発祥の地でした。ボン大学の眼科は、大学敷地内に2、3棟のビルを所有し、診察ごとに分かれていました。

最初に入ったビルでは小児眼科の診察をしており、多くの医師が患者さんを診察していました。また硝子体部門は別棟であり、それぞれの部門で基礎医学の研究をしており、それぞれの部屋に教授がおられました。

日本の大学病院とは相当違い、教育方針も違い、新しい学問もできるのであろうと想像しました。

手術室では白内障手術を行っているとのことで、案内していただきました。行われていた手術は、眼内レンズ二次挿入のデモンストレーション手術でした。手術の見学者も多く、術者が術式を見学者に説明している教育方針も肌で感じることができました。

その頃、日本では眼内レンズを挿入する手術が大学病院眼科で始まりつつあった時期で、まして二次挿入などは日本では後のことでした。

手術室はたいへん広く大きな窓が設置され、その窓から、ボン大学の敷地に広がる緑が目に鮮やかでした。日本では手術室を設置する場合、完全に外界との隔離をして、外をみることができません。

次に1階に降りて、基礎の研究室へ案内されました。その教授は病理が専門のようで、私にまず問うたのは、「貴方には何語がいいのか、英語、フランス語、ドイツ語？」私は心の中で日本語と思いましたが、英語でゆっくり話し始めました。水晶体の病理について、断片的には理解できましたが、内容はあまり記憶にはありません。

当時、日本では留学生に対し教授は、英語を主体に講義しており、多くは日本語が中心でした。基礎医学なのに機械の豊富さ、そして、顕微鏡機器がツアイスであったことを思い出します。さすがドイツだ。その頃ツアイスの医療機器はたいへん高価であったものです。

ボン大学の手術室を見学してから、自分の手術室には大きな窓をつけることを決めて日本に戻りました。できるなら、ボン大学に留学ができたらと淡い希望もありました。

その後私立病院の眼科開設も無事終了し、自分のクリニックの手術室にガラス窓を取り付けツアイスの手術用顕微鏡を設置し明るく保ちました。

病院の建築はもともと密閉されており、空調を一定にして感染症が起こらないよう気をつけているようです。しかし、今回のCOVID－19の対策時、クリニックは開放可能な窓をすべて開けていたようですが、なかなか空気の流れはできませんでした。

私の場合、ＲＣ構造のクリニックを造ったので、院内の電子カルテやＸ－Ｐのためにコンピュータのラインの増設が表に出てきたりして、見栄えが悪いようでした。

クリニックを開業する

１９９１年、私が42歳の時、宇都宮にクリニックを開きました。大学病院や一般病院に勤務した後、長男の小学校入学を契機に開業したのです。私が眼科、前妻が消化器内科医でしたので、私自身の個人開業として始まりました。


多くの開業医は病院勤め後に親の後を継いで開業し、あるいはクリニック周辺を各自でリサーチしてクリニックの開設に臨むものではないでしょうか。

私自身には、親や親類縁者に医療関係者がいたわけではなく、まして宇都宮は縁もゆかりもない所です。たまたまクリニックを開設した位置が、卒業した大学から10㎞ぐらいのところであり、特殊な患者さん、救急患者さんの搬送が可能な所でした。土地購入時にもぼんやりとこのことを基本としてリサーチしていました。

開業時、周辺は田畑であり、親しくなると夏はキュウリ、ナス、秋には新米を近所の農家から頂いたものです。道路も簡易舗装でしたが、今では立派な歩道を有する片側一車線の市道です。当院の前には大きなスーパーマーケットができ、そして隣には会計事務所ができ、住宅やアパートが建ち、一つの町ができ上がりました。そして朝夕には幹線道路の抜け道として300m~500mの渋滞が発生します。

友人知人に「田んぼの中ではなくもっと住宅地のほうがいいのでは」とも言われました。しかし町は生きており、流動的な物であり、その頃の自分には町の形成に力を貸す勢いもあったかもしれません。

土地の購入もすべて法務局で所有者を調べて、地域にどのような人が居住し、どのような家族構成かも調べてみました。その頃まだこの地区には農家が多いことも購入の一要因でもありました。

開業当初は近所の人が来院するわけでなく、何となく遠くから見られていた感じがします。

開院式には自治会の会長をはじめ、多くの地域の人を招待しました。その後少しずつ近所の患者さんが増加していきました。

4、5年経ち、おかげさまで来院する患者さんが順調に増えてきました。眼科白内障手術、レーザー治療が増加した上に、内科では大学病院から当時流行していたC型肝炎へのインターフェロンの治療の依頼が多くなってきたからです。これらにより名目上の売り上げが上がり、私自身の納税額がかなり増加してきました。

当時、宇都宮税務署の監査があり、「急激に売り上げが上昇した理由は何か」と問われ、「薬使用のため」と答えました。父に税務調査について相談したところ、「顧問税理士に任せてあまり余計なことを言わない方が良い」とアドバイスされ、その他事業内容については税理士に任せました。

その頃一般薬の薬価差益も少なく、さらにインターフェロンの購入のため、納入薬剤の借入金も増加してきました。

それらを総合的に考え、院外処方に移行しました。なにしろ薬問屋への借入金はその時点で8000万円近くに膨れ上がっていたからです。

私個人の銀行への借入金返済には、あまりにもキャッシュフローが悪いと考え、法人化も視野に入れました。

税理士とも相談の上、医療法人化に踏み切り、資本金については、私自身の購入した医療機器を中心に法人に渡して資産とし、資本金は1200万円としました。

土地、建物は私個人の物であり、その物件を法人へ貸すことで私が給与とともに受け取り、銀行への返済に回しました。よって法人は不動産を持つことがなく、このことは結果的には良かったと思います。

その後のクリニックの修繕や医療機器の購入ならびにリース料などは法人が債務者となり、私が連帯保証人として取引約定書を結びました。

法人の費用としては、半年ごとの従業員の賞与ならびに源泉徴収費用のために定期預金を2口作成し、なんとかキャッシュフローが回るようになり始めました。

クロージング時にはその定期預金の解約や生命保険の解約で費用を捻出することができました。私自身の銀行への借入金がないことが幸いでした。

私自身勤務医から開業医となっても保険診療にて、診察、治療を行ってきました。38年前に土地を購入しクリニックを建て、医療機械を購入し、いくらかの借入金を抱えました。そして従業員の生活を支え、自分自身の生活費や子どもの教育費をその保険収入の中で賄ってきました。

今回その土地、クリニック建物を全て売却、処分することになったのですが、購入した金額以下での処分となりました。

開業は一つの事業であり、初期投資は当然必要です。より良い医療を地域に提供するためには致し方なく、医療機械を含め、自分自身の訓練のためにも資金は当然必要だと思います。

クリニック開業の壁

クリニック開業直後、我が子が小さな交通事故に遭遇しました。幸いにも大きな怪我もなく、現在も健康で元気です。その時相手側の車の保険会社代理が「たいした怪我ではないようだし、問題にしなければ、見舞金を払うことでよいか」と言ってきたのです。

その話を受けて、私は警察に交通違反の人身事故として診断書とともに申し出ました。警察もどこから仕入れたか判りませんが「事故もたいしたこともないし、穏便に済ませたら」とのことでした。

私は、社会国民のために交通事故を減らす事を目指している警察の言葉ではないし、まして子どもに対する配慮のかけらもないとその時感じました。そして弁護士に経緯を説明し、相手側に訴訟を起こしたのです。警察も現場検証をせざるをえなくなり、相手の取り調べも始まりました。

しかしながら、再度警察は「相手側は車がないと仕事に支障をきたすし、できれば訴状を取り下げてくれないか」、さらに我が子に向かい「相手側の○○さんの仕事は車を使うことが多いので許してあげてはどうだろうか？」とのことで、私は全く受け入れることができないし、子どもへの圧をかけた話し方に憤然としたのを今でも覚えています。

その翌日、相手側の親戚であるという、市内の開業医から電話がありました。

「君は最近開業したらしいな、開業したら地域での問題を起こさない方が良い、子どもの怪我もたいしたことは無いようで、開業したからにはおとなしく引き下がったほうが賢明だ」とまで言ってきたのです。

確かに私自身開業間もないし、相手は近所の人間であることも事実です。

その時、医師会というものは上の者の言うことを下の者が唯々諾々と話を聞くものであるのかと感じ、そのような風潮に愕然としました。また、新規開業者を押さえつけるようにもみえました。

その頃市内の開業医は少なかったのですが、今後増加することを恐れての発言でもあったに違いありません。当然裁判を実行し、それなりの結果をえました。

その後、私の近所や市内に様々な診療科で開業医が増加し始めました。医師会では、開業の目的やら、金の工面方法やらについての面接を行うようになり、医師会の中には開業医を抑制するような雰囲気が漂い始めたのです。

私は一人の医師として真っ向から反対をしました。

「開業は自由なのだから、金の工面やら開業の目的など本人の自由だし、まして医師会の医師が他人の事業に口出しするものではない、開業したらぜひ医師会に入会するように勧めるべきである」

その町に医師が増加することで、町全体の安心感で人口も増加するでしょう。確かに人口減少が始まっている現在ですが、同業者の増加を自身の減収と考えるのはあまりにも胆が小さいのではないでしょうか。患者減少は自身の訓練が足らない上、さらに診療体制に問題があるのではないかとも考えています。

新規開業への圧力は決して医師会だけではありません。

現在、病院やクリニックとして種々の届出を提出する役所は地方厚生局ですが、以前は社会保険庁でした。

その社会保険庁の事務官から診療中にもかかわらず一本の電話がありました。その内容は「ある患者からの申し出があり、処方せん1枚をもらうのに再診料やその他の請求がされている。よく聞くとそちらの医院らしい、今後気をつけないと、クリニックの取り消しもありうる」とのことでした。

ちょうどその頃、当院では院内処方から院外処方へ移行した時期でもありました。調べてみると、その患者さんは大学病院後輩からの紹介で、大学では時間がかかるので近くの医院へ転医したいとのことで、当院へ紹介された方でした。

その頃当院では院外処方せん発行においても、保険診療の規則通りに行っていました。当然再診料を請求することは問題ではないはずです。その上で患者さんには、看護師が血圧測定し、医師が当日の患者さんの状況を聞き、カルテに記載するよう指導していました。その患者さんについても同様に血圧やその他の状況がカルテに記載されていました。

これらの証拠を携えて、本来なら直接社会保険庁へ乗り込んで行き、どこが不正なのか問いただす予定でした。しかしながら、まずは医師会員として医師会に行き、これまでの経緯を充分説明し、カルテの開示を行いました。

理事の話では「全く問題ない、放置しておくことが良いと思う。保険料の返還は必要ない」とのことでした。

私は、「医師会だけの問題ではない、私個人のプライドが許さない」「審査会委員の先生とその事務官と会って正確に話をしたい、もし事務官が間違っているのであれば一筆謝罪がほしい」と理事に詰め寄りました。

そこで理事が審査会委員の先生にカルテもみてもらい、不正の無いことを証明してもらうとのことで、過日審査会委員の先生が私の前でカルテを確認し、「カルテならびに保険請求に問題ない、事務官の方がいささか行き過ぎたのかもしれない」とのことで決着がついたのです。

医師会理事としては「あまり大げさにすると、社会保険庁の出方も他の先生にも問題が起こるかもしれない」と、「さらに一筆書かせれば相手のこともあり」と言葉を濁しました。まずはこの辺でと思い、私は手を引きましたが、何となく釈然としないままでした。

医師会ではなるべく多くの医師会員に波及することを問題にしましたが、そのことについて私自身理解できないわけではありません。

その時に私自身感じたことは、役人は民間へ強気に出て優越感をえることのみを考えているのではないかということです。しかし、不正なら不正としてしっかりした証拠をみつけてから対処すべきです。世間の嫌な一面を見た気がしました。

その頃はずいぶんと不正請求が社会問題となっていた時期でもありました。確かに「医は仁術でなく医は算術」とも言われ、「医師の常識、社会の非常識」などの言葉もありました。

確かに1975年以降、田舎での高額納税者は上位に医師の名が連なっており、栃木県でも同様でした。

新米医師は、大学病院や大きな病院で先輩の指導のもと、患者の苦痛を取り除くための診断、治療につき必死に勉強するものです。そして市中病院で一人医長として診療のみでなく、患者の入院にかかる保険書類や、身体障害者の書類作成など社会の制度についても見識を深めていき、そこで診療以外の一般的雑用が増えていくのです。

COVID-19の届出も同様だと思われます。ずいぶん詳しく届けても、役人は本当に有意義に利用しているのであろうか、はなはだ疑問です。

公立の小中学校の先生は児童・生徒に寄り添って良い教員になることを目指して資格を取りますが、最近の報道では、様々な雑用が多く、一部の先生が精神疾患に襲われる可能性があるということも理解できます。

特に医師のようなエッセンシャルワーカーにとっては、耐えがたい立場に置かれることがあります。

今は医師の給与体制をはじめ、種々雑多な仕事がかなり見直されたとも言われています。私が医師になった頃、ある先輩医師に「レジデントとは住むことである。よって入局間もない人間は大学病院に住み込むことだ」と言われました。今となっては、医師でなくてもできるつまらない雑用までしていた記憶があります。

また、先輩医師のテクニックを盗むことで一人前となるなど、今では考えられないことがまかり通っていました。

しかし今では、診断、治療には診断基準というものがあります。その上、診断、治療を知りたい場合、ＩＴをはじめ手段は多くあり、簡単に知識をえることができます。

今後、これらが医療そのものの変革となります。経験によるものは少しずつ減っていくでしょう。

早めに医療人として足を洗った私ですが、医療とはいかに合法的に利をえるかを知ることも大事です。

私は保険審査会委員として、不正請求をしている可能性のあるクリニックに何回か立ち会ったことがあります。医師の中には「医師の裁量で診察し請求した」という人がありますが、保険を司る側にも裁量権があり、その狭間を如何に埋めて、不確実性の医療と言われるものを、患者にとっての利となるよう大いに期待しているところです。

人間は究極、いつも自分自身のことのみを考えているのかもしれません。

奈良時代、遣唐使船で、のちに鑑真和上を日本へと招聘した僧たちを主人公とした、巨匠井上靖作の長編小説『天平の甍（いらか）』で

「・・・同じ立場にあっても人間は結局自分だけだ・・・」

と遣唐使となった僧侶「戒融（かいゆう）」がそう語りました。

3. 眼科医として

眼科とは

眼科の基本的な検査は、検者と被検者との信頼関係で成り立っています。視力検査において検者は被検者の答えを信じなければならないのです。

確かに視野検査や色覚検査など時間の要するもの全てそうです。患者の詐病をみつけることも意外と簡単なものなのです。

特に交通事故後の患者の検査には注意を要する場合があります。なぜなら事故保険金を多く受け取るために嘘をつく場合があるからです。

視力検査など嘘をつくような患者の場合には、やや暗い所での検査と称して突如別な検査をすることがあります。すると検査結果に整合性がないことが判るのです。

そのようにして詐病をみつけたりしました。また眼科は目の周りを中心に診察するものです。目は口程に物を言うと言われていますが、診察時、眼瞼の左右差や瞳孔の大きさや左右差の違いで脳動脈瘤や脳腫瘍の診断がつくことがあります。これは眼科診断、診療での大いなる優越感でもあります。

眼科入局した頃、他科に入局した同期の話には、「眼科は目だけみているから楽だね、全身の状況をあまり判断しないでしょう、視力検査など検査員がすることが面白い?」などと、今思えばずいぶん失礼なことを言われたものです。

今や眼科は診療の中心とは言わないですが、他科からの紹介は「何となく見えないようだけど」との話。眼底を診察し、CTやMRなどの検査やお願いすると、脳梗塞をみつけることもしばしばあります。

本人には全く自覚症状なく、2、3日前から目が赤いとのことでした。虹彩炎があり、眼底を診察すると眼底出血がずいぶんとあります。なんと糖尿病を放置していたのです。

虹彩炎の症状は目が赤いことでしたが、多くは免疫不全など多く病気の初発症状でもあり、いろいろな全身疾患の病気をみつけること、治療することは眼科医冥利につきるのです。

恩師との出会い

私が眼科を開業した時、白内障や網膜剥離をみつけることも必要でしたが、子どもの結膜炎や屈折異常にかかわる斜視などの疾患にも多く力を入れていました。

また、眼科疾患に色覚異常というものがあります。私の指導教授は色覚の専門家でもありました。昔の眼科研究を紐解くと、色覚異常についての研究や眼科神経疾患についての研究などがかなりの数が発表されています。

色覚検査は石原式色盲表などで検査し、色覚の程度の判断を下し最終的にはアノマロスコープで診断します。色覚検査の前に私は必ず視力検査を行います。網膜の細胞は2種類ありますが、その一つの錐体細胞が視力と色を見分けるものです。よって、視力が良いとなるとまずは問題ないし、生活には困らない、色が判らない場合は視力も全くないといってもよいでしょう。

1998年頃までは学校保健法で小学生、中学生で色覚検査をしていましたが、国が色覚異常は疾患でなく、遺伝子異常による先天性のため治療法がない、また個人情報の問題があり、集団での検査は問題があるとのことで中止となりました。

この国の方針に私自身、反対や大いなる意見もありませんが、先天性色覚異常は事実、遺伝性のものであることは自明です。しかし、18歳時に大学受験や、警察官や消防士、交通関係に就職する時、色覚検査を義務付けることも多いようです。

日本では男子100人に4、5人の色覚異常がいるのです。男性が5000万人いるとすれば250万人は色覚異常です。これが病気か否かは別として、国が検査を中止したのも理解できます。

ならば、公務員である警察官や消防士に色覚検査は必要ないのではないか、就職時、大学受験の色覚検査も不必要でしょう。

親が我が子の色感覚が何となくおかしいと気がつき、さらに本人が他人と色感覚がおかしいと気がつき、眼科クリニックを受診することがあります。検査してみると色覚異常と結果が出ますが、親は色覚異常とはたいへんな病気で色が判らないと思い込んでいます。そこで私は「色を感じるためには光がなければならない、つまり、真っ暗な部屋、夜で光がない状態では色は色覚が正常でも判らない」と説明し、そこで母親は納得するのです。

物体の色を決めるのは光であり、その物体には赤のみを反射し、また、青のみ反射して色が決まるのです。

暗い部屋では赤い服でも黒く見えることでもあり、あるいは全く見えないのです。

もう一つ、色覚異常は色をみつけ出すことができないことでもあります。つまり、緑の芝生の中に黄色いたんぽぽが10個咲いていると、3、4個には気がつきます。すべてをみつけられないですが、たんぽぽがある場所を伝えることで判ることもあるのです。色をみつけることはできないですが指示されると気がつくのです。

子どもの頃12色や24色のクレヨンを他人と違うように並べてしまうこともあります。また、地図上で県境や道路などを色々な色を使うと判断を誤ることになります。

最近テレビをみていると多くの色を使っています。カラフルと思うか、色の配色で見にくいと思う人もおり、人それぞれです。

印象派のクロードモネは、生涯にわたり同じモチーフを描いていましたが、年齢によって絵の色合いがずいぶんと違うことは有名な話です。

これは、高齢となり白内障の症状によるものであります。色はそれぞれの人間の感性でもあるようです。

この色覚異常の研究の第一人者は、私の尊敬する先生の一人である石原忍先生です。

日本では色覚異常の研究は他国に比べて進んでいたらしく、明治時代にはおそらく富国強兵で、視力の良い者、そして信号旗をみることができる人間を育てる必要があったのかもしれません。

もともと外国ではあまり色覚に関して問題にはされません。色覚の本を調べると、交通事故を起こす高い確率で色覚異常がいるみたいであるとのことで、あまり細密な検査は行われないようです。

石原忍先生は群馬大学の前身、前橋医学専門学校の設立者です。我々の学生時の眼科教科書『小眼科学』（改定第22版 石原忍著、鹿野信一【改訂】、金原出版、1991）の著者でもあります。

その診療所感には1から8まであります。7までは一般的に医師の心得が書かれています。最後の8には「眼の病気は大部分視診することができる」から始まります。

「眼科医は閑静な地に住んでいても、その技能が優秀であれば、患者は遠方から集まって来る。このことは医師の健康を保持するために良い、そのほか、眼科には往診もなく、夜中に起こされることも少ない、また規定の時間外に来る患者も少ない、それゆえ眼科医は読書や余技や休養などに必要な時間を保つことができ、これは医師にとって非常に幸福なことである」

と結んであります。これが私の尊敬する石原忍先生の言葉です。

眼科は私が入局した時期と比べ、ずいぶんと変化してきました。

まずは治療用点眼薬の種類の多さです。

眼科の疾患としてよりもレセプト上多い病名として、白内障があります。時々老人福祉施設より診察を頼まれることがあります。視力改善治療として「ピレノキシン（カタリン）」が処方されています。診察してみると、白内障手術後として眼内レンズが挿入されていて、後発白内障が発症しており、暗く見えるのです。ＹＡＧレーザーでの処置をして帰宅させることが何回かありました。

また、目が赤いとのことで抗生剤の点眼を処方されている患者さんを診察しますが、高齢者では加齢によって痛みや頭痛などに対して感覚が弱いため、即座に訴えないことがあり、眼が赤くなるのは、しばしば緑内障発症兆候を示しているケースに遭遇します。当然眼科医としては早急に処置を行う必要が出てきます。

抗生剤抗菌剤の点眼は一時増えましたが、製造中止になった点眼薬もあり、失明率の高い緑内障治療点眼薬は、私の入局時には瞳孔を小さくするピロカルピンぐらいしかありませんでしたが、今ではβーブロッカー、PG関連製剤、炭酸脱水素酵素阻害剤、α2刺激剤、そしてそれらの配合剤まで発売されております。

緑内障治療には様々な治療方法があり、医療の大きな進歩です。

最近では、アレルギー疾患の点眼薬や、胃薬から発見されたドライアイの点眼も多く出てきました。友人に聞くと、内科の糖尿病治療薬や高血圧治療薬も私の学生時代とは全く違うし、おそらく治療方法とともに多くの薬剤が開発されました。

内服薬、外用薬の進歩は限りないのです。

また、点眼薬ではありませんが加齢黄斑変性症や網膜静脈閉鎖症に使用する硝子体内注射薬剤も外来にて行っており、これらの疾患の診断のための検査機器も発達してきています。

白内障の症状は一般に視力低下を基準としていましたが、多くの症状としては羞明であり天気の良い日に視力低下を多く訴えております。

その検査にはコントラスト感度があり、それによって客観的に白内障手術を勧めるようにします。眼内レンズのパワー検査において、以前はSRK式などで計算していましたが、今では眼軸の検査と同時に眼内レンズ度数が計算されます。

角膜の検査でも細隙灯のみでしたが、角膜形状や角膜厚そして内皮の検査が追加され、すでにルーティン化されました。さらに前眼部をはじめ、眼底検査では光干渉断層撮影（OCT）で角膜と虹彩の位置関係や涙液の状況など、自分の目で診察するより信憑性があります。

緑内障の検査として、以前は眼底乳頭を診察していましたが、このOCTでの検査の方が診断能力があります。

私が入局した頃、眼底検査を十分に実施して眼底チャートに赤鉛筆、青鉛筆で描いていましたが、今では散瞳せずに広角の眼底カメラで撮影ができ、さらに自発蛍光検査では網膜全般の血管の状況を判断できます（詳しくは専門書で）。

今後、眼科をはじめとして医療はさらに発展していくと期待できます。

眼科医会での話

私が眼科入局して知ったことは、眼科医は、メガネ、コンタクトレンズ販売でずいぶんと収入をえていたということです。

特にコンタクトレンズ処方販売に関して、多くは眼科医の手中にありました。

その頃、さらにいくつかの眼科クリニックには、週1回の割合でコンタクトレンズメーカー営業員が、営業と称して診療所で眼科診療の一部である、視力検査などを行っていました。

そのことは今も昔も医療法、医師法違反でありますが、当時はほぼ問題にされることはありませんでした。

コンタクトレンズは、メガネとともに屈折異常を持つ患者の補助具です。また20年前からレーシックという角膜をレーザーで治療する方法もあり、さらに最近では、ＩＣＬ（眼内に水晶体を残したままレンズを挿入する）という手術も開発されています。

かなり前から、コンタクトレンズはハードコンタクトレンズとソフトコンタクトレンズの2種類でした。

1990年頃アメリカの大手薬剤メーカーであるJ・J（ジョンソンエンドジョンソン）が1週間使い捨てコンタクトレンズを開発し、販売のため日本に上陸しました。

それまでコンタクトレンズは両眼でかなり高価なもので、定価5万円から6万円とも言われており、安価な使い捨てコンタクトレンズは、急激に多くの人が使用するようになったのです。

その後、1日使い捨てコンタクトレンズが販売されると、使いやすくさらに検査が簡単で、メガネ屋を中心に、屈折度を検査して使い捨てコンタクトレンズにトレンドが移行していきました。また、眼科以外の医師がコンタクトレンズクリニックを開設し、コンタクトレンズの安売りがエスカレートしたのです。

厚生労働省は、医療施設での物品（コンタクトレンズ）販売は、医療法に抵触すると指摘、したがって医師は、コンタクトレンズ処方せんのみ発行し、患者はその処方せんにてコンタクトレンズ販売所にて購入することになりました。

その上、コンタクトレンズは高度医療機器類3類（人口骨、透析器など）、身体に著しい損傷を与える機械と認定されたのです。

たとえ高度医療機器と認定しても、使用する患者や安易に処方する販売所には、高度医療機器の内容をどうも理解されず、簡単に使用して角膜潰瘍やアカントアメーバ角膜炎などの被害が増加してきました。

我々眼科医がコンタクトレンズについて十分に説明しながら診察しても、メガネ屋、コンタクトレンズ販売所は多量に売ることに力が入っており、しまいには、ドン・キホーテなどでカラーコンタクトの雑貨扱いでの販売が広がり始めました。

若い女性がそのカラーコンタクトレンズを使用して、失明に至ることも多く、学会でそういった事例が多く発表されました。

先に述べたように眼科医がかつてコンタクトレンズで多くの収入を得ていたことは事実ですが、眼科を理解していない医師や検査技師のみの診察により、コンタクトレンズを高度医療機器にしたことが私は裏目に出たとみており、そのことが国民の眼の健康を損ねているのではないかと感じています。

コンタクトレンズ高度医療機器の販売資格は、ある一定の短い時間の講習のみで取得できます。医学、眼科基礎の学習もなく、高度医療機器を謳っているわりにずいぶんずさんな法律とも思います。

眼科医にコンタクトでの儲けを否定するための法律かもしれません。

医師法第22条には、「医師は、患者に対して治療上薬剤を調剤して投与する必要があると認めた場合には、患者又は現にその看護に当たっている者に対して処方せんを交付しなければならない」と記されており、また第22条7項では医師の判断で患者によっては不適切な内服使用の可能性がある場合、処方せんを出さなくても良いとも記してあります。

しかしながら、処方せんを出さない場合、状況によっては診察拒否と思われる可能性もあり、何のための医療か、誰のための医療かと思うのです。確かに難しい問題かもしれません。

今では遠近両用のコンタクトレンズが発売され、かなりの年齢の方に広く行き渡っており、かなりコンタクト眼科診療は有意義な方向にもあります。

国民に、快適な視覚環境をつくり、事故の無いよう務めることがこれからの眼科医の使命かもしれません。

眼科救急医療に関して

2005年頃、夜間・休日の救急医療ならびに救急車の使用について、ずいぶんとマスコミに取り上げられました。
今回のCOVID−19パンデミック時、救急医療で通常の診療を行うことができない程ではなかったのですが、かなり問題になったのも事実です。

当時、市町村自治体の夜間・休日診療は、内科・小児科診療として一次救急はある程度確立されており、重症患者は地区の総合病院や大学病院へ紹介され、現在でも充分運用されています。しかし、眼科患者に関してはすべて、眼科医不在とのことで軽症・重症にかかわらず、診察なしで大学病院の救急外来へ紹介されていました。さらに一般の方々の間では、眼に症状のある場合、直接大学病院の眼科救急外来を受診するようになってしまいました。

2007年に栃木県にある自治医大の眼科管理者より
「自治医大では来年度より眼科の夜間、休日診療を停止する予定です。よって獨協医大へ救急患者が増加して、たいへんな負担となる可能性があるのです。栃木県の眼科医会で何か方策を考えて欲しい」
との依頼があり、そこで、大学の救急外来の実態を調査すると、軽症の患者さんが多くを占め、そのために大学内の眼科医が動員され、重症患者への対応が遅れ、緊急手術が滞り、さらに負担が増えていることが判明しました。

そこで栃木県眼科医会として、休日の軽症患者を開業医で持ち回り診察することに決めたのです。眼科休日一次救急診療を、県衛生福祉部ならびに独立行政法人栃木病院の協力のもとに立ち上げました。当初は、新聞はじめ地域のラジオなどで取り上げられ、多くの患者さんを診療し、ずいぶんと感謝されたことを覚えております。

患者さんの多くは目が赤い、コンタクトレンズの不具合、アレルギーによるかゆみなど9割以上が軽症で、点眼薬の処方で完結しております。

1年間で70日近くの休日で概ね1000人以上の患者さんを診察し、独立行政法人栃木病院にも負担がかからなかったようでした。

この眼科救急医療は、眼科医会の有意義な事業であったと思います（詳細は、日本の眼科83：10号

2012年 栃木県眼科一次救急）。最近では医療も多様化しており、特に眼科を標榜するクリニックでは、日・祭日、さらに夜まで診療する施設が増加し、一か所での眼科救急医療は必要なくなりました。

4. クロージングを決意

医療を生業とするには、医療の進歩、そして社会構造の変化に自分自身が順応できることが必要です。クリニックにて高齢で診察を続けている先生の中には、私より数段立派な方がたくさんいるし、その方に敬意を払うことは当然であり、真の地域医療を全うしていらっしゃいます。

また、患者さんと趣味の話をして、患者さんに生きる力を与えていることも事実であり、認知症の予防にもなっています。

これは地域医療の一つであり、社会の一つの縮図でもあります。しかし、私にはこのような医療行為は向いていないことに気がついたのです。

クロージングする理由

クロージングする理由にはいくつかあり、どの理由を一番にするか優劣は決めがたいです。すべての具象がクロージングの理由でしょう。

クロージングは開業時から考えていました。クロージングは自分自身のためなのか、あるいは来院してくれる患者さんのためなのか。クロージングの決定は先に述べたように自分の定年と考えたのです。

クロージングする理由①（一代仕事は30年）

一代の仕事として如何なる仕事でも30年ではないかと以前より考えていました。画家や小説家そして俳優など芸術に関する方々は一生かもしれませんが、凡人は30年間仕事すれば良とすべきです。あの徳川時代でも250年で15代、せいぜい一代6～15年です。地域医療は新しい先生の開業で引き継いでいくものです。

古来より、形あるものは壊れ、浮いているものは沈み、飛んでいるものは落ちると言われています。人間も生を受けた時より、死を認識せねばなりません。

クリニック開業も、当然クロージングを常に視野に入れておく必要あります。世阿弥ではありませんが、口伝芸において、家の大事一代一人の相伝であり、不器量の者には、「伝うべからず」です。つまり自分自身が不器量ならば当然であります。

クロージングする理由②（患者の減少）

次のクロージングの理由は、患者さんが少なくなり、医院の経営も含めて毎日が開店休業の状態が私には耐えられなくなったことです。

30年前、私が開業する旨を地区の先生方に知らせるため、開業式の招待状を持って挨拶に行きました。その時多くの患者さんを診察しているにもかかわらず、院長室に通され、開業への心構えを教示してくれる先生もいました。待っている患者さんがいないので薄暗い待合室に待たされて、一言だけ「はい」という先生もいました。

近所で診察科が自分と異なるものでも、あまり好ましくない風が吹いていたように思い出されます。このようにしてまで私は診療を続けることはしたくないとも思いました。

開業時は確かに患者さんが1日に5、6人のこともありましたが、2年、3年と経つと1日100人になり、いろいろな検査や手術も増加してきました。

しかし、私の地域にも開業の波があり、地域の人口は増加しましたが、それ以上に患者の流動も始まってきたのです。なんとかここ5年前ぐらいまでは、患者さんは減少したものの維持することはできていました。

やがて、患者さんの減少が始まり、まず内科での個別検診や学校健診での異常を指摘された患者さんの減少から始まりました。

まだ月1000枚以上のレセプトは維持していましたが、1000枚を割ったらクロージングを準備しようと考え始めたのです。開業していて感覚的にみじめにはなりたくない、泥船にいつまでもしがみついているのも私の美学が許さないと感じたからです。

クロージングすることを患者さんに告げたところ、まだ続けてほしい、次に行くところがないと言ってくださり、ありがたい、ここで開業してよかったとも思えました。

最後の月はレセプト1000枚をはるかに超え、ご祝儀相場かもしれません。

クロージングする理由③（医療の勉強への意欲の低下）

開業時にはずいぶんと大学の研究室や多くの学会、研究会、勉強会などに出席し、発表もし、また学会誌にペーパーの投稿もしました。医療機器の購入にも力を入れました。

こういったことは患者さんに対する敬意と考えていました。

電子カルテの導入は、開業10年で行いました。現在開業する医師は当然のことですが、当時電子カルテに移行することにはなかなかに骨が折れました。

新しい機器の導入は患者さんの信頼も高くなるのです。患者さんはよくみています。患者さんがある病院へ行った後、「同じことしか言わない医師がいる」「話してくれた内容がわからない」「弱い薬にする」「弱い薬とはどういう意味なのか」など様々な質問を私にぶつけてきます。私は眼科医ですが、薬の本を出して説明をよくしていたものです。

しかし、ここ2、3年COVID–19を理由に一部の学会、研究会活動が減少し、それと同時に私自身の医療に対する前向きさが無くなってきたことも事実です。このことは患者さんに対しても失礼な振る舞いでしょう。

自分の年齢や今まで行ってきた、手技や処置にはまだ問題がないと思いますが、不器量な状態であるなら患者さんに申し訳ないと思います。

新しいことを取り入れて行うことに直面した時、真の地域医療を確立するために、自分に前向きな行動がないなら患者さんにたいへん申し訳ないことでもあります。

医師をはじめ、資格が必要な仕事は毎日、新たな知識の貯蓄が必要です。その貯蓄の切り売りを患者さんに診療していると私は考えています。

クロージングする理由として、

① 30年でクロージングを考えて開業した

② 患者さんが急激に減少しはじめたみじめさ

③　ここ2年ほど前から医療の勉強への意欲が無くなっていることに気づき、
　　通院する患者さんを裏切れない

以上の理由からクロージングを余儀なくすることを感じました。

そして④つめに、まだ元気なうちに医師以外の別な生活があるのではないか、と考えたからです。

クロージング前に友人や地域の人からよく言われたことは、まず体調に問題もなく、患者さんもまだ多くいるのに「クロージングは残念だ」というより「もったいない」ということです。

「もったいない」の意味は私自身何となくわかりますが、一人医療法人というものは、永遠ではないのです。地域の人に少しでも記憶に残り、この地域に旭の医院があったことを記すことでよいのではないかと私は思うのです。

以前国家資格を持った人が亡くなった時、その国家資格を返却した人がいたことを覚えています。

つまり、国家資格である医師免許は国からの借り物であり、土地も国からの借り物と考えれば、医業という仕事の終了後は、医業やその他の事業を速やかに次の人に明け渡すことも良し、と私が考える次第であります。

5. クロージングするまで

クロージングの決意

私は常にクロージングを頭に入れて診療しておりました。従業員が突然退職するような時にいかに振る舞うか、自分を含めてスタッフが医療事故を起こした時、最悪な状況を想定して診療にあたってきました。また、資金繰りについての懸念もありました。おかげ様で、開業2〜3年で患者数の安定が見込まれ、その後大きな問題もなく、今回クロージングを迎えることができました。

実際にクロージングを決意し始めたのは、2021年の春頃でした。ちょうどその頃、医療従事者へのCOVID−19のワクチン接種が始まり、当院でも通院患者さんからの要請もあり、ワクチン接種を始めました。

また、市医師会の要請でワクチン接種を地区の公民館でも行うようになり、私としては最後の地域医療へのご奉公として、7月より月2回接種の手伝いをしました。

接種を行う場所には当院の通院患者さんもおり、感謝されたことを覚えております。

また、ちょうどその頃、クリニックを開業している、60歳代後半の同級の後輩医師が突然の心臓発作にて死亡したとの連絡を立て続けに受けました。

さらに残された家族が医院の閉鎖、子どもの教育について難儀していることも人づてに聞きました。私も70歳を過ぎており、クロージングを元気なうちに自分の手で行い、家族やその他の方に負担にならないようにと考えました。よって2022年3月でのクロージングを決意いたしました。

今思えば、先に述べましたが開院した時からクロージングの準備をしていたようにも思えます。

私は自身で土地も、建物も新規に調達し、すでに3人の息子がいましたが、この医院を継がせる気はありませんでした。どうしても医師になり、開業を考えるのであれば、更地にして渡すとも言っていました。

医院開業は、地域医療の原点でもあります。当院の患者さんの多くは半径2㎞に自宅があり、地域の人間関係を少しずつ把握していきました。当院は宇都宮と言えどもまだ農家が大半を占めていました。その子どもや孫達は少しずつ会社勤めが増えてきた状況でもあります。

子どもの進学や何気ない部活の話などに耳を傾けることは、開業医として当然の行動でもあります。患者さんが高齢となり、残念ながら助けられなかった場合には、通夜や葬式にも出席していました。

これも「クロージングした時に惜しまれつつ」を演技ではありませんが、頭の隅に叩き込んでいました。高齢者を支え、医療の力だけではなく、人間性を原点とした行動に終始してきました。

クロージングに向けての準備

年明け、最初に相談したのは、当院の前で薬局を経営している薬剤師の方です。

その薬局の経営については、当然一蓮托生でもあり、この方とは、まだ栃木県に現在のように院外薬局が根付く前から、院外処方の在り方について他の院外処方薬局や薬剤管理経営を指導している医院などを見学し、ともに勉強してきました。

患者さんへの対応、患者さんの支払いの増加への対応、患者さんの不便さをいかに軽減するかといったことについて、1年に渡って検討を加えた友人でもあります。

その後、この方は公私に渡り、一番の相談相手となりました。

次に当院の糖尿病外来を大きくしてくれた、同級生の医師にクロージングの旨を告げました。前妻（百合子）が病で倒れた時、彼は医局より医師を紹介してくれて、内科診療を絶やすことを阻止してくれました。また、彼はその後大学やいくつか公的病院の友人に声をかけて、内科医の派遣を誘導してくれました。

おかげで前妻が死亡した14年前から、すべての曜日に糖尿病外来を含め、循環器内科、呼吸器内科、消化器内科の医師を確保することができました。一時は8人の内科医を雇用しており、やや人件費が多額となり負担となりましたが、それ以上に当院の名が多くの患者さんに認知されたことも事実です。

従業員への周知

従業員にはクロージングを悟られないように行動していました。もし従業員に知れてしまえば、薬問屋や出入りの業者に分かってしまうことで、クロージング時の薬剤、機械の処分に大きな影響を与えると考えていたからです。

クロージングの2か月前である2022年2月に、派遣医師と従業員にクロージングの発表を行ったのですが、唐突の発表に従業員は驚いておりました。そしてやはり、次の就職先について一時不満が出ました。その下準備としてやや大きな調剤薬局の知り合いに、事務の方の採用をお願いしておきました。看護師その他有資格者は、意外とすんなり次の就職は決まっていくものです。当院では眼科医は私一人なので患者さんには直接クロージングの旨を説明し、いくつか紹介状も書きました。

内科の医師には、2か月の間にサマリーをなんとか作成することをお願いして、看護師や事務の方には丁寧な患者さん対応をお願いしました。私自身も、いつも患者さんに敬意を払っておりました。そして、なるべく現在の状態のまま、患者さんを次のクリニックへ紹介するようお願いいたしました。

同時進行でクリニック内の不要な物から片付けを始めました。

院内物品の処分

クロージングを最終決定してからは、資金の問題もあり、やたらに新規の機械を購入することはせず、薬や小さな機械は多く買っていました。

院内の物を大きく分けると、薬品、医療機械、院内の物品、紙カルテ、薬品納入伝票など、さらに電気、電話などのインフラ、また機器の保守点検費用などで、どのような順で、いかに処分するかを私は考えました。

まずはじめに、院内の薬品および点滴用チューブや、注射器、針、糖尿病患者へのアルコール綿など薬問屋から購入したものの処分を始めました。

当院は院外処方のため、多くの薬品はなかったのですが、ほとんど封を切ったものが多かったのです。薬品の使用前の物は返品が可能でしたが、一度封を切ったものは引き取れないし、さらに当院で購入した血糖測定器などは返品を受けられないと言われてしまいました。

一部の薬剤は直接一般ごみとしては処理することはできないため、医療用廃棄物として処理しましたが、液体薬剤は下水道に捨てるわけにはいかず、問屋の支店長に直接連絡をして、少し強引ではありましたが、開業からの今までの経緯を話して、薬剤・物品すべて引き取っていただきました。

次に医療機械ですが、X線装置は東芝（現在キヤノン）に連絡したところ、引き取りに来てくれました。クロージングの時、保健所にはあらかじめX線装置廃棄の届を出しておきました。

併せて、電子カルテ使用での画像診断装置リムパック（内視鏡写真や超音波検査画像を電子カルテへ連絡するもの）も、コニカのX線現像機も引き取ってもらいました。

眼科用の大きい機械である、ツァイス手術用顕微鏡ならびに手術用ベッド、また外来での顕微鏡、手術室の機械棚などはすべて無料で引き取ってくれました。

外来での眼底写真診断装置やレーザー機器はまだ使えるとのことで、眼科の友人に無償で引き取ってもらいました。

その他の機器は昔からの眼科業者が処分できるとのことで、小さな機械も含めて、すべて1日で引き取ってもらうことができました。

リース物件の残債の多くは、レセコン、電子カルテが占めており、その他リースアップしていたリース物件はそれぞれ機器納入業者に連絡し、引き取りを完了できました。リース残債は計算とほぼ一致しました。

クロージングの1か月前から処分を始め、医療機械の処分を出入りの業者に掛け合い、おかげ様で、すべて無償で引き取ってもらうことができました。すべて法人で購入したものでしたので、処分については、簡単に済みました。

次の問題は、医療機械以外のものです。

まずは、電子カルテにする前の紙カルテ、健康診断のカルテならびに検査伝票、薬品の納品書類です。不用物回収業者にシュレッダー処理を頼むことにしました。すると、紙類・本も含めて六畳一間ぐらいの膨大な量となり、そのシュレッダー処理に約1週間を費やしました。

その上、待合室の椅子や机、従業員のロッカー、さらには私自身が使用していた院長室の棚などを処分したところ、予算見積もり額の3倍ぐらいになってしまいました。

一方、電子カルテの中に患者さんの情報をすべて入れていたために、CDに落とすことができ、業者に委託することで保管できました。

また法人並びにコンタクト会社の決算報告も最近5年分を残して処分しました。

次に、電話、電気、上下水道、ガスなどのインフラを処分することにしました。

機械・機械警備機器や自動ドアの保守点検は、電話で簡単に済みました。火災保険なども特に問題はありませんでした。

電話を廃止するにあたりNTTへの連絡がなかなかつかず、電話機リース会社との折衝でなんとか処分できましたが、何しろNTTの対応が悪いように思えました。

電話を開設する時もかなり強気であったのを覚えています。31年前医院に沿った番号を頼んだところ、けんもほろろに一蹴されたことを思い出しました。

電気の停止にはずいぶんと手間が掛かりました。当院の電気はX線やレーザーの関係で200Vの高圧電流装置であり、さまざまな制約がありました。

肝心の東電もなかなか連絡がつかず、電話してもあちこち回されて素人では埒が明かず、友人の建築業者に掛け合ってもらい、電気を止めてもらうのに2か月を要しました。何となく東電の体質が垣間見れた気がします。

このようにして3月末から始まった院内処分は8月末に終了し、NTTおよび東電の請求は9月で終了しました。

ほかに、2月には看板業者に連絡し、幹線道路の看板や駐車場の看板を3月末にすべて取り外しました。

そして土地と建物です。

私所有の建物、土地には負債がありませんが、建物を解体するためには、ＲＣ構造のため最低でも２０００万円位の費用が掛かるであろうと友人の建築士に言われ、どのように処分するべきか考えあぐねておりました。

クロージングが決定した当初より、子どもたちは3人とも宇都宮に戻る気はないことを確かめて、土地と建物は売却予定としておりました。

土地購入時より高く売る気は決してなかったので、いくらか小遣いになればよいとも思っておりました。土地と建物は自分で得たものであり、もちろんタダではないので、購入時より安くとも31年間で子どもを養い、地域に恩返しができれば良いとも考えれば御の字です。

その後、クロージングを公表したところ、開業当時より出入りしていた医療機器メーカーから連絡があり、開業するために土地建物の購入を希望する医師を紹介されました。私は安価でも良いので売却を即座に決定しました。土地の値段のみでの売却となりました。

彼は小児科を開業する予定で、1階のみクリニックとし、2階を住宅と考えていたようです。そのため、院内のすべての物を廃棄するように私は彼に言われた通りに致しました。したがって、おかげでRC構造の建物を解体せずにすみました。

クロージング時の資金繰り

土地、建物すべて個人の持ち物であり、不動産その他の借入金は私にはありませんでした。また大きな機械はすべて購入したもので、リース物件はレセプトコンピュータ、および電子カルテでした。これは、たまたま6年のリースで、あと半分が借財として残りました。少し計算違いが起こりましたが、なんとか支払いができました。

一番予想外の出金は、不用品の処理および紙書類のシュレッダー代です。電子カルテ導入前の紙カルテや検診などの写しのカルテ、検査伝票、さらに物品の納品書、請求書など、これらの処分が意外と予算オーバーいたしましたが、2、3月の診療報酬でほぼ賄いきることができました。

そして最後に、従業員の給与、退職金を支払えば終了となりました。退職金は中小企業退職基金で賄いました。

残りは次年度の税金かもしれません。

経営的には未だ十分のところでクロージングするのがよいのではないでしょうか。

田舎では、お医者様はお金持ちというレッテルを貼られており、公民館を建設するために多額の寄付を要求されたり、夏祭りのために手ぬぐいの購入をしたり、自治会会費は事業所とのことで多めの請求がありましたが、これもすべてクロージングのための準備として支払い続けました。

クロージングを是とするか、否とするか

私は予定通りの行動なので是と考える。自分の生きざまとして

クロージングして何をするか

私自身はクロージングありきでのみ考えていました。

開業していると診療に束縛されており、自由な時間がなく、クロージングすることで時間を持て余し、いかに時間を費やすか全く頭になかったとも言えます。

定年し時間が自由になった時、今までの職業経験をもとに子どもを含め、後進に少しでも役に立つようなことをしたり、ボランティアに加わったりすることが新聞やマスコミなどに出ていることがよくあります。そのようなことはたいへん立派と思いますが、自分はとても行うことができません。しかし、体が元気なうちに社会との関係を保ちたいと考えている人が多いようです。

私の場合偶然ですが、クロージングした翌日、近所に眼科を開業した後輩から時間があれば診療を手伝ってほしいとの依頼がありました。たまたま今まで診察していた患者さんをその新規眼科などを含めて紹介した経緯があり、週1回そこで診察を始めました。

その眼科クリニックは多くの医療機械を導入しており、視力検査をはじめ、全ての検査が瞬時に電子カルテに反映されています。本当に便利な世の中になったものです。

以前から診察している患者さんを新しい機械で診ると今までみていたのと何か違う感じがしたり、新規の患者さんのようにも感じることがあります。

医療機器の違いやIT機器は、今後さらに変化を遂げていくことになるでしょう。これからの医療はITで行うことの方が客観的で、自分の眼で診察するより正確かもしれないということを肌で感じます。

医師という職業について（医師の引退）

私ごときが何を言うかとも思うのですが、元気でクリニックをクロージングして考えたことは、開業するからには必ずクロージングがある、下天のごとくである、ということです。

少子高齢化と言われて久しく、昨年の新聞報道（2022年7月27日付）で10年後には医療関係者が100万人不足すると言います。不足分の医療関係者は、おそらく介護に関わる人を指しているのでしょう。たまたま今回のようにCOVID－19が増加し、診療する医師、医療機関が少ないことも言われているようですが、本当に医師の数は少なく不足しているのでしょうか。

現在、医師登録者は34万人と言われており、そのうち臨床に関わっている数は32万人です。わが国には80校ほどの医学部があり、毎年9000人以上の医師が養成されることになっています。10年後には単純に40万人を超える医師数となります。

現在人口1億2438万人で10年後には1億1660万人になると、人口10万人に対して260人から、300人ぐらいとなると推定されます。これは医師数の割合として考えると、他先進国とほぼ同じとなるとも推定されているのです。

日本の医療は他国と違い、国民皆保険であり、国予算の1／3が医療費と言われているので医師数によって医師の給与は徐々に減少に向かうと考えられるでしょう。

決して若い医師が増加することを問題視しているのではありません。むしろ逆に多くの新進気鋭の若い医師にＡＩ、ＩＴを駆使して臨床をはじめ、基礎研究を発展させてもらいたいと思っています。

私など高齢の医師は今後いかにしたら良いか、どのような位置で手伝いができるのか、場所をみつけなければならないのです。

私は最近、地元医師会の依頼で介護認定審査の業務を受け持つことになりました。

認定については、あくまでも介護を受ける人の状態を把握して審査するようにしていますが、ふと疑問に思ったことがあります。

介護認定審査は介護される人のためなのか、介護をする家族が人としての生活を充分に満足できるように認定しても良いのではないか、少しでも自由な時間を持てることが介護する家族を助ける大きな力になるのではないか。

私もいずれ公的介護を受けることになるかもしれない、その時は私を介護してくれる人に自由な時間をぜひ持って欲しいと考えております。


40年以上前、有吉佐和子作『恍惚のひと』、佐江衆一作『黄落』などの小説がありました。

介護保険ができて20年以上となり、公的な介護が中心となり、家族での介護はともするとやや影に隠れているようで、以前より高齢者が多いわりには大きな問題とされず、介護疲れに起因する事件が発生した時初めて報道で取り上げられるのです。

家族だけでの介護は相当に困難を極めることも、政府として考慮してもらいたいものです。人口が減少し、高齢者が増加していくこれからの日本で100万人の介護人員を工面するのはたいへんなことだと思われます。


一時より臓器移植の報道は、法律ができた頃よりかなり少なくなっているようです。また個人情報の関係かもしれませんが記事も小さくなってきています。臓器移植を受けた患者さんは、どのくらいで社会復帰ができているのであろうかと考えます。

以前、角膜全層移植を何例か経験し、その患者さんを継続的に診察する機会がありました。たまたまその方々は、その後社会に大いに貢献しているようです。

医療の本質は、宗教や哲学などとの関連もありますが、治療や介護を受けた人間がいかに有意義な生活をし、それを見守った家族が真の生活を取り戻していくか考えることだと思います。

今回のCOVID−19の流行を含め、新しいウイルス感染症の流行に関しても再度検討する機会が必要かもしれません。これからの若い医師に託したいものと考えます。

人間の寿命は限られているのであるから。

伊達政宗が年齢を経て

馬上少年過　世平白髪多　残躯天所許　不楽復如何

（戦国の世、馬を馳せた青春の日々は遠く過ぎ去った。今は天下は泰平だ。私の髪はすっかり白くなった。生き残ったこの身の処し方くらい、どうしようと天は許してくれる。楽しまないでどうするというのだ。）

と述懐しています。

戦国を馳せた私ではありませんが、運よく生活ができ、誰を天とするのではありませんが、そろそろ髪の毛も白くなり、私を許してくれると信じ、ゆっくり残りの私自身の人生を楽しむつもりです。

6. 竹田綜合病院

竹田綜合病院と私

私が竹田綜合病院の理事に就任したのは28年ぐらい前で開業間もない頃でした。私の父（真鍋薫）が77歳となり、私を理事に推薦したことに始まります。

父は、現・竹田秀理事長の御父上である竹田厚太郎先生と、旧制第二高等学校（仙台）で同級でした。父によると厚太郎先生は、小学校を5年次で会津中学へ入学し、中学校を4年次終了で二高へ進学したそうです。

父も北海道深川という小さな町の出身で、かなり自分の学力に自信を持って二高に入学したわけですが、あまりにも他中学校出身者には多くの秀才がいることに驚き、負けずに勉強したようです。その秀才の多い中にも厚太郎先生は群を抜いての秀才で、入学時一番若いにもかかわらず級長に任命されたそうです。

その時分の写真をみると皆相当老けているようにも思います。

当時二高には「荒城の月」の作詞者である土井晩翠という教授がいました。父も厚太郎先生も教えを乞うたそうです。さらに厚太郎先生の御父上の秀一先生も土井晩翠に師事したそうです。

そうしたことで竹田綜合病院の院歌は土井晩翠の作詞であり、私が理事になった頃、病院旧講堂の壁に院歌がかかっていたのを記憶しております。

父は厚太郎先生とともに無類の酒好きであり、さらに漢文、文学などの趣味でたいへん気が合ったそうです。

仙台にいた頃、厚太郎先生に誘われて会津のうまい酒を飲みに行ったのですが、厚太郎先生のお母上に「厚太郎は酒を飲み始めると止まらない、真鍋さん、厚太郎には酒を勧めないようにして欲しい」と言われ、父も多く飲めなかったことを何年たっても残念がっておりました。

その後、厚太郎先生は東京帝大へ、父は東北帝大へ進学し、仕事を始めた頃は時々東京で会って酒を酌み交わしておりました。

父は仕事での酒は極力避けて家での酒を楽しんでおりましたが、厚太郎先生とは唯一の酒飲み友達として別なようで、母もよく理解していたようです。

1969年、父は法務省訟務局第一課長、その後参事官で早期に退職しました。退職した理由は、法務省の一局削減で訟務局が無くなることでした。父は公証人を考えておりましたが、母が弁護士となって自分の好きな税務弁護をすることを勧めました。弁護士となって依頼者が来ないことがあっても、母はなんとかなると考えていたそうです。

しかし、事務所には電話番としてでも母は決して行くこともなく、そのことは父の支えになっていたようです。母は元来大胆でおおらかなようでした。

父は気が小さいため、勉強して武器を多く持つことに徹しておりました。さらに武器でも空砲では相手に勝てないとも言っていたことを思い出します。

そんな頃、厚太郎先生のお母上より、竹田綜合病院の理事の仕事を依頼されたことから、竹田綜合病院との関係が始まります。

その後、私の両親は会津を時々訪問し、厚太郎先生ご夫妻ともお付き合いし、ずいぶんと昵懇の間柄になったそうです。

厚太郎先生が若くして千葉大学奉職中に亡くなり、父は本当に残念で仕方がない様子でした。

今から20年前父が他界した時、母と厚太郎先生の奥様は「今頃二人で浴びるように飲んでいることでしょう」と話していたことを思い出します。


父は1941年高等文官試験に合格し、札幌の地検に配属されたそうですが、すぐに徴兵され北海道出身であるため、択捉島に赴任して終戦を迎えました。3年間のシベリア抑留後、母と結婚し私が生まれました。


父はロシアに対してずいぶんと文句があったようですが、あまり口にはしませんでした。

「勝てる喧嘩をしなければならない」と言い、国への文句は言わないようにしていたようです。

しかし晩年になって、「シベリア抑留さえなければ、もっと良い地位に就き、次官も夢ではないと考えていた」と父は口にしていたそうです。

そこで母は「生きて帰ってきたのだから、儲けものではないの、シベリアの土になった人もいるのだから、運が良い方と考えたら」これは厚太郎先生が早く亡くなったことが残念でたまらないことにも通じるようです。

私の弟の名は厚太郎先生の厚の字を頂き、厚史にしたそうです。それほど父は厚太郎先生を尊敬し、もしくは憧れていたのかもしれないのです。

東京の我が家へ厚太郎先生がいらして、厚史の中学校の校章がミツバチをアレンジしたもので、「二高と同じ校章だ、蜂のように働かなければいけない」と二高を懐かしく話しておりました。

父はもともと税法が専門で、よく家で私達に話していたのは「いかに万人から少しずつの税収を増やし、その税金を上手く使うことで国力を増すことが必要である」と言っておりました。

父は最後の仕事として、田中角栄のロッキード裁判の顧問弁護士を引き受けました。

引き受けた理由は、田中角栄の後援会長で相談役の原長栄弁護士からの依頼でした。原弁護士とはシベリア抑留中の一人の友で面識があったとのことでした。

ロッキード事件は受託収賄、脱税から始まり、職務権限についての問題でありますが、父はいつも法廷から戻ると、「角栄は一切金を受け取っていない」と話しておりました。

1983年10月、一審の判断がなされ、その後は当裁判とかかわりを持たず、完全に口を閉ざしておりました。

今私からみると、あの裁判は米国、英国、そして日本を含めた国際事件ではないか、日本における国際裁判の始まりとも思います。単なる受託収賄の裁判として終わりにはできないかもしれません。

そのような父に竹田綜合病院で勉強して何か自院のためにえてくるように、とは言われませんでしたが、今思うとそうなのかもしれません。

私が竹田綜合病院の理事に就任した頃、開業間もないし、まして大きな病院の医療経営や人事に関して、予算や税について知識・見識ともにほぼ皆無な状況でした。先輩の先生方の議論や、考え方を充分拝聴し、自身の医院の経営に結びつけてみました。そして地域の住民に竹田綜合病院が信頼をえて大きくしていくにはいかにしたらよいか、さらに病院に勤めている先生方、コメディカルにどのような考えがあるかを認知しなければならないと考えておりました。

年々大きくなっていく竹田綜合病院の大きな船をどのようにかじ取りをするか、何が必要なのか、たいへん難しいことだと感じておりました。個人のクリニックの経営で考えても全く違うものであることも理解できました。

病院として当然収入を増やすことも考えなければなりません。

昔、父が「竹田の場合医師一人1億円の稼ぎが必要である」と言っていたのを思い出します。確かに35年ぐらい前の予算は100億円ぐらいでしたが、現在は240億円です。医師の数は100人から現在120人ぐらいです。よって医師一人2億円の稼ぎが必要になります。

一般のクリニックにおいても年1億円が一つの基準と私は考えております。病院もいかに稼ぎ、その利益を地域住民のために還元するかが大事ではないかと思われます。

竹田綜合病院には看護学校があり、地方の看護師不足に対応しているようです。以前私は、宇都宮市の看護学校の理事を任命され、たいへん苦労したことを思い出しました。医師と看護師を含め、コメディカルの力は地域医療の根幹であります。

毎年竹田綜合病院の収入は増加しているようです。山鹿クリニック、高度医療、がんの特定診療、次にリハビリテーション病院など本当に目を見張るものがあります。

そこで一つ、健診数はあまり増加がみられないことを感じたこともあります。会津地域の企業への健診アプローチを増やすことは、地域の健康を守り、大きな疾患をみつけることにつながる可能性もあるかもしれません。

今後、過疎地に単身高齢者が増えるとするならば、通院不能な人に対しても巡回による検診車を導入することも場合によっては必要になるでしょう。

母について

母（和子）は子どもの頃より、習い事にはずいぶんと前向きのようでした。琴から始まり茶道、華道、水引など、当時の嫁入り支度として昔ながらの習わしだったかもしれません。そして書道も上田桑鳩（日本経済新聞の題字）に師事し、ずいぶんと練習をしていました。

母は会津八一の書が好みで、なんとか手に入れたくて、父に相談したところ、早稲田大学に勤めている友人から会津八一の書をみつけてもらったそうです。

昔から書や絵画を家に飾ることが好きなようであり、さらに子どもが男ばかりの家であったので、常に花を絶やすことがありませんでした。

私も絵画を趣味として時々油絵を描いておりましたが、最近では気に入った絵画を購入するようになり、また母が遺した絵画や書を我が家に掛けております。

父は書や絵画を含め格段興味なく、購入に関しては全く無頓着で、「ほー」と言うのみでした。父の趣味は酒を飲んで好きな本を読むことらしく、晩年には鈴木大拙の本や『碧巌録』を読んでいたようです。

また母は、一つの習い事がある一定の技量を得たところで終了し、新しい趣味を考えていたようでした。

1963年に父が仙台法務局より、法務省訟務局第5課長として東京へ転勤となりました。東京の豊島区に家を購入したのですが、その頃は五右衛門風呂で、その五右衛門風呂の焚き付けには木材を必要としました。まだガス供給が満足に行き届いておらず、東京ではなかなか焚き付けのための木材をみつけることができませんでした。

そこで母は、茶道、華道の師範柾目看板を物置からみつけてきて「ちょうど良いものがある」と言って、焚き付けにしていたことを私は記憶しております。父に話したところ、「今日の風呂の湯はたいへん貴重だな、心して浸かることだ」などと話しておりました。

母の次の趣味は俳句のようでした。父も高校時代から漢詩や俳句を詠んでおりましたので、母の俳句作りには賛成していたようです。

母は辻亮一という早稲田大学出身の小説家をご主人としている、女学校時代の友人に相談したところ、辻亮一さんの友人で小説家・俳人であり、俳誌『レモン』の主催者である多田裕計を紹介されました。辻亮一は『異邦人』にて第23回芥川賞を受賞、多田裕計は『長江デルタ』で第13回芥川賞を受賞しております。

母は俳句にかなりの勢いでのめりこみ、多田裕計にずいぶんと教えを受け、レモン同人までなりました。多田裕計に勧められ、最後は句集『枇杷の花』を自費出版するまでに至りました。賛辞は師である多田裕計に書いてもらいました。

その後、多田裕計の逝去後はあまり句作せず、教え、導いてくれる人がいないと俳句はなかなかできないと言い、他の俳句雑誌への参加もしませんでした。おそらく多田裕計の人柄を尊敬していたのでしょう。

父も自分では自信作である句を『レモン』に時々投句しておりましたが、なかなか取り上げてもらえず、ましてて天、地、人など夢のまた夢で「ムッ」としていたのを思い出します。

私は二人の俳句を批評するつもりはないのですが、母は柔らかい花びらのような感覚があり、父は竹の節のような雰囲気で俳句を楽しんで詠んでいたようです。余談に

母の句　吾が子らは　おとこばかりや　かぶら汁

父の句　花冷えの　ある日より酒たちにけり

やや付け足しとなりますが、ある秋、父と母から芭蕉の足跡を知りたいと要望がありました。母が俳句雑誌『レモン』の同人であり、1冊の句集を出した後でした。

『枇杷の花—真鍋和子句集』（1976年）父は句集が発刊されたことをずいぶん喜んでいたようでした。

父の語彙力は確かに豊富でいろいろ俳句の批評を行いますが、俳句の感性は母の方がやや上手で、父の批評に耳を傾けていますが、二人の世の見え方が違うのではないかと子どもながら感じておりました。

私が宇都宮にいたので、芭蕉であるならと栃木の「室の八島」と鹿沼の「金売り吉次の墓」を観に行きました。

母は芭蕉の文とはイメージが違うのか、あまり感動していなかったようでした。

そして杉並木の例幣使街道を経て、日光金谷ホテルに宿泊しました。紅葉にはまだ早いようでしたが、うっすらと始まった錦秋と神橋を眺め、「初めて見たがなかなかだ」と普段は人や物を褒めない父が賛辞を送っておりました。

翌日、母の「どうしても」との希望で「裏見の滝」を観に行きました。すでに滝の裏側を観る道が崩れており、たいへん残念がっておりました。江戸時代の芭蕉は観ることができたのですが、滝の裏に行く道は明治時代に崩れていたのです。

その後父の希望で鮎を食べに大田原の簗に行き、鮎の塩焼きを食べ、充分酒を飲んで父は愉快にしておりました。那珂川の流れを眺め、昔の猪苗代湖のせせらぎに移し替え、厚太郎先生との思い出に耽っていたのかもしれません。

7. おわりに

先に記したように定年のない医師という職業を自分自身のものとして、クリニックを開設したはずでした。

開設当初、42歳の医師には42歳を中心に患者さんが通院してくれ始めたのです。

そして、クロージング間際に来院されていた患者さんは、私よりほぼ10歳以上の世代でもあります。よって80歳を過ぎているのです。つまり、自分より若い患者さんが多く集まることはないということです。

地域医療というのであるならば、通院してくれる患者さんが徐々に減少していくわけで、当然クリニックもいずれはクロージングしなければならないのです。

そして、その地域で新しく開業した先生に託すことが、地域の患者さんにもよいことでもあります。

社会の変化についていけなくなれば、クロージングです。

クロージングしてまだ1年余りです。致し方なく定年となった方は、定年後何をしているのでしょうか。それまでの人生で培ってきた趣味で時間を潰し、さらに広げることも可能でしょう。

私自身特に趣味を持っているわけではありませんが、ゆっくりと過去を感じてみようとぼんやり考えています。

過去、歴史を動かすことはできませんが、過去があって現在があるならば、自分の歴史から未来を動かすこともできるかもしれません。

第3部
クリニックをクロージングするためには

GTMグループ 代表
恩田 勲

GTM税理士法人 代表社員
恩田 学

親和法律事務所 弁護士
齊藤 宏和

工学院大学 建築学部建築デザイン学科 教授
筧 淳夫

藤田医科大学 特命教授
三浦 公嗣

1. 病院、クリニック経営からの撤退、クロージングに向けて必要なこと

GTMグループ　代表　恩田　勲
GTM税理士法人　代表社員　恩田　学

旭先生のケース

旭先生は開業後に設立した一人医療法人のクロージングを自ら決すると、まず昔から一緒に活動してきた業務上の仲間の薬剤師に相談され、さらに同業の友人である医師、その後特定の医療機器業者に相談するなどして、特定の信頼できる事業上の業務仲間だけに相談しながら、クロージングに向けた処理準備を着実に進められました。

もちろん顧問税理士等専門家にも、会計帳簿や事業に関する重大な資料の保管義務やクロージングにともなう税金、資金繰り等、事業クロージングに係る管理面での相談をされています。

本項では旭先生のような一人医療法人からの撤退も含む一般的な医療法人（財団、社団）からの撤退ケースについて、その手法の違いと事業クロージングにともなう管理面での留意点について述べてみます。

旭先生はこのクロージングに向けた行動の間、従業員や業務上のお付き合いのあるほとんどの方々にはクロージング内容が具体的に固まるまでは悟られないようにしていたということのようですが、これはクロージング準備として重要です。

業務関連当事者にはそれぞれの利害や思惑がありますので、まだ物事が固まっていない状況で関連当事者がそれぞれに動き出す可能性が生じることは、まとまるものもまとまらない、あるいは本来えられるであろう利益がえられない状況に陥ることが多いと言えます。

方向性がある程度固まって、その事実を変えようもない状況になれば、関連当事者はそれを受け入れるしかないのですが、時間がありすぎるとそれぞれの利害や思惑で動いてしまい、医院が継続しているにもかかわらず、いわゆる死に体となって統制のとれない事態に陥ることがあります。

それを回避するためにもギリギリまで関連当事者のほとんどに公表しないという対応は、撤退にとって重要だと思います。

旭先生は「開院したときからクロージングの準備をしていたように思えます。」と書いておられますように、粛々と手際よくクロージング手続きを進められたようで、私ども専門家からみてもお見事な撤退と言えます。

詳細は「5．クロージングするまで」に、従業員の再就職、個人所有不動産としてのクリニックの処分、薬品、医療機器、消耗品等の処分等、ご自身のクロージングに向けた対応を詳細に述べられておられますので、一人医療法人あるいは個人経営医院のクロージングをお考えの方には参考になる内容だと思います。

もちろんクロージングすることなく、地域の患者さんのためにもそのままクリニックを他の医師に委ねる、すなわち個人経営医院をそのまま他の医師に譲渡するというケースも考えられます。

この場合は、後述する医療法人からの撤退のケースの「M＆Aによる撤退」と基本的に同様になりますので、ご参照いただければと思います。

医療法人経営からの撤退する様々なスキーム

医療法人経営からの撤退には様々なスキームがあり、その撤退の目的によって最も合理的な手法を選択する必要がありますので、医療法人経営に詳しい専門家に相談することをお勧めします。

以下様々な撤退の概要をご説明します。

旭先生の場合は一人医療法人という個人経営の延長線上にある個人色の強い医院のクロージングですが、一般の医療法人は3名以上の理事（うち理事長が医師・歯科医師）と、1名以上の監事により運営される永劫の法人格を有した個人とは別人格の組織体で、それを理事長たる個人医師が経営することになります。

したがってその医療法人を経営する個人医師の撤退とは、病院事業を行っている医療法人の経営から離れるという考え方が基本になります。

もちろん経営する医療法人という人格を自らの撤退に合わせて解散し、その結果として残余財産額（医療法人の資産処分額 - 医療法人の負債額）のうち、個人の有する出資持分相当額を分配金として返還してもらう（持分の定めがある社団医療法人の場合）というケースもあると思いますが、多くは「経営する医療法人を第三者にM&A（合併、事業譲渡、出資持分の譲渡）するスキームを選択して撤退する」ことになります。

なぜなら解散の場合は、病院、クリニックの事業継続による将来利益が評価額の算定において考慮されず相対的に低い評価額になるからです（現状が赤字状態にある場合は逆に解散の方が評価額は高くなります）。

なお、その撤退内容は医療法人の出資形態によっても異なりますので、まず医療法人の形態（出資）との関係を説明します。

医療法人の形態

医療法人は社団と財団に分かれますが、ほとんどの医療法人（一人医療法人を含む）が社団を選択しています。

そもそも「社団」と「財団」の違いは、法人の運営基盤を「人」とするのが「社団」で、「財（お金やモノ）」とするのが「財団」です。

財団たる医療法人には持分の定めはありません（設立時に寄付された基本財産という概念はあります）が、社団たる医療法人には出資者（社員）が3名以上必要で、うち少なくとも1名は医師（あるいは歯科医師）であることが必須になっています。

また医療法人社団は持分の定めのある社団と持分の定めのない社団に分けられます。

出資持分のある医療法人社団は、2007年施行の第5次医療法の改正により新規に設立することができなくなりましたので、既存の出資持分のある医療法人社団については、当分の間存続する旨の経過措置が設けられ、『経過措置型医療法人』と呼ばれることもあります。

なおこの改正にともない、新たに基金制度を採用した医療法人社団の設立が認められるようになりました。

基金とは、医療法人に拠出された金銭その他の財産で、医療法人と拠出者の間で定めるところに従って返還義務を負うものをいいます。拠出者からみると持分は無いのですが、拠出時の財産の返還の権利（求償権）があるということになります。

このように医療法人財団及び持分の定めのない医療法人社団は出資持分という概念はありませんので、

病院等を運営する理事長（少なくとも3名以上の理事がいます）職を他人に引き渡す（同時に理事会で過半数を取れる理事数を含む）ことで病院等経営から撤退し、相応の退職金等の経済的利益を受領するケースが多いようです。

医療法人社団に出資持分を有する場合、出資持分は一般的な株式と同様に評価価値が事業状況によって増減しますので、この持分の客観的価値を計算する必要があります。

ただこの評価計算は一般的に「バリュエーション」と言って、専門家に算定してもらうのが一般的です。

経営する医療法人から撤退する様々なケース

①医療法人解散による撤退

持分の定めのある医療法人社団の場合は、残余財産額（医療法人の資産処分額－医療法人の負債額）のうち、個人の有する出資持分評価相当額を分配金として返還してもらうことができます。

一方で、持分の定めのない医療法人社団の出資者は残余財産の分配を請求することができません。

持分の定めのない医療法人社団及び医療法人財団は定款又は寄付行為の定めるところにより、その帰属すべき先に残余財産が帰属することになります。

なお「基金拠出型」医療法人社団が集めた「基金」は返済を受けることができます。

②医療法人からのM&Aスキームによる撤退

医療法人のM&Aスキームとしては、「合併」、「事業譲渡（分割譲渡もあります）」、「出資持分譲渡」がありますが、いずれも専門家による評価計算（バリュエーション）が必要になります。

経営する医療法人の運営を他人に委ねて撤退する手法の一つに「合併」スキームの利用があります。

「合併」をするには吸収合併契約または新設合併契約を締結する必要がありますが、この契約について医療法人社団の場合は総社員の同意が必要とされますので、社員が一人でも反対している場合は合併することはできません。

医療法人社団は、他の医療法人社団または医療法人財団と合併することができます。

医療法人財団は、寄附行為に合併することができる旨の定めがある場合に限り、他の医療法人社団または医療法人財団と「合併」できます。

なお合併の場合は、都道府県の医療審議会、債権者保護手続等の対応が必要で時間がかかるというデメリットがあります。

「事業譲渡（分割譲渡もあります）」は、経営する医療機関の全部または分割した一部を他人に譲渡して、その譲渡対価を医療法人が受け入れたうえで「解散」あるいは「合併」を行って撤退するスキームです。

事業譲渡の場合は、経営主体が変わることから医療機関の閉鎖と開設を同時に行う必要があります。また、職員についても「合併」と異なり、一度退職して再雇用の手続をとる必要があります。

ただし、事業だけを引き継ぐので「合併」や「出資持分の譲渡」とは異なり、譲受側には譲渡側医療法人に関わる医療訴訟、労働訴訟、診療報酬不正請求のリスクから隔離されるというメリットがあります。

「出資持分の譲渡」は持分の定めのある医療法人社団で行うことができるスキームです。会社の株式の譲渡による経営権の引継ぎと同様で、持分についてバリュエーション評価額を基準に譲渡することで医療法人を引き継ぐことができます。

なお、「合併」や「事業譲渡」とは異なり、行政や医師会への事前相談は不要で、売買当事者間で進めることができます。

医療機関クロージングにともなう管理面での一般的留意点

医療機関のクロージングにともない、医療法上に規定されている「保存しておかなければならない書類」について、事業閉鎖（撤退）後でも、法で定められた期間は保存する必要があります。

また保存期間の定めはない経営上の重要書類についても、少なくとも10年間は保管しておく必要があります。

このため、医療法人では普段から「期間に関係なく保存をする経営上の重要書類（永久保存書類）」と「一定期間経過後に破棄できる書類（一時保存書類）」に分類して整理し、保管しておく必要があります。

また一時保存書類の保管期間もそれぞれの定めがあり、最長では10年間になりますので、撤退後も保存すべき書類を一定期間は保管しておく必要があります。

期間に関係なく保存をする書類（永久保存書類）

医療法人にとっての経営上の重要な書類で、以下のものが該当します。事業継続していれば永久に保存しておくべき内容になりますが、撤退後も少なくとも10年間は保管しておく必要があると考えます。

社員総会議事録

理事会議事録

重要契約書関係（不動産売買等、役務提供契約等は直近時点のもの）

行政機関への届出（厚生局、保健所、税務署）

一定期間経過後に破棄できる書類

カルテなどの書類についての保存期間は、「保険医療機関及び保険医療養担当規則」に定められています。

そこでは

「保険医療機関は、診療録を保険診療以外（自費診療等）の診療録と区別して整備し、患者の診療録についてはその完結の日から5年間、療養の給付の担当に関する帳簿・書類その他の記録についてはその完結の日から3年間保存しなければならない。」

と規定しています。つまり、カルテなどの診療録は5年間、レントゲンフィルムなどの診療記録物は3年間保存をしなければなりません。

会計帳簿書類（帳簿、決算書類、請求書、領収書等）

診療録（カルテ）

保険者への請求に関する帳簿及び書類その他の記録（手術記録、X線フィルムなど）

なお、税法に規定される帳簿書類の保存期間は、個人事業主と医療法人の場合で保存期間の数え方が異なります。

個人事業の医療機関である場合は、確定申告期限（3月15日）の翌日から7年間保存しなければなりません。

医療法人は、各事業年度の申告書提出期限の翌日から7年間の保存が義務付けられています。個人事業も医療法人も、保存期間のスタート地点が違うだけで、保存をする期間はどちらも7年です。

しかし、法人の場合、２０１８年4月1日以降に始まる事業年度で欠損金（赤字のこと）が出ている事業年度は保存期間が10年に延長されています。

これは赤字を繰り越せる期間が緩和されて10年に伸びたため、それに合わせて保存期間も10年に延長されました。

なお、医療法50条の2で

「医療法人は、会計帳簿の閉鎖の時から10年間、その会計帳簿及びその事業に関する重要な資料を保存しなければならない。」

として、会計帳簿及びその事業に関する重大な資料については会計帳簿の閉鎖時から10年間保存しなければならないことや、51条③で、貸借対照表及び損益計算書を作成した時から10年間の保存義務を規定しています。

このように医療機関のクロージングに伴い、医療法上及び税法上に規定されて事業閉鎖（撤退）後でも法で定められた期間は保存しておかねばならない書類がありますので、ご留意いただければと思います。

いずれにしても医療機関のクロージングをお考えの節、お悩みの節は、お気軽に専門家集団であるGTMグループ（ホームページhttps://gtmri.cp.jp/をご覧ください）までご相談ください。

2. クリニッククロージングの法律問題

親和法律事務所　弁護士　齊藤　宏和

クリニックをクロージングするにあたっては、様々な法律問題を短時間に解決しなければなりません。そのため、クロージングではなく、「第三者への事業承継」という選択肢を選びがちとなります。しかし、承継先が現れるかどうか分からず、仮に承継候補者が見つかったとしても条件が折り合うかどうかが分かりません。

また、いろいろ呑み込み、何とか承継させたとしても、承継後に残ったスタッフや患者からの評判が悪く、承継後も何かと連絡やフォローをしなければならないだけでなく、ご自身の悪評につながってしまうおそれもあり、第三者への事業承継を選択したとしても、手続き的な容易さとは裏腹に、精神的な負担が重くのしかかってきてしまうことになりかねません。

一方、クロージングの場合は、クロージングまでのタスクの多さや、クリニックの継続を望む患者さんやスタッフの期待に背くことへの葛藤などはあるものの、「クロージングしようと思ってもクロージングできない」という問題は生じませんし、一度クロージングしてしまえば、その後に予想ができない問題が生じることもなく、綺麗に身を引くことが可能です。

まさに「立つ鳥跡を濁さず」が実現できるのです。そのため、経営者先生の体力的な余力がある場合には、クロージングという選択肢は、非常に良い選択肢となるといえるでしょう。

旭先生は様々な法律的課題を見事にクリアされ、理想的なクロージングを実現されておられます。

それでは、旭先生のような見事なクロージングを実現するためには、どのような法律問題を解決しなければならないのでしょうか。

大まかに挙げると、以下の通りとなります。

①各種届出・申請

②スタッフ（従業員）の処遇

③患者さんの他院への引継ぎ

④医薬品・医療機器の処分

⑤クロージング後の記録の保管

クロージングに関して必要となる手続きとして、主要なものだけでも、以下のようなものが挙げられます。

届出先	届出内容	期限
管轄の保健所	診療所廃止届 エックス線廃止届	10日以内
地方厚生局	保険医療機関廃止届	遅滞なく
都道府県	麻薬施用者業務廃止届	15日以内
医師会	退会届	遅滞なく
税務署	個人事業廃止届	遅滞なく
都道府県税事務所	個人事業廃止届	遅滞なく
年金事務所	健康保険・労働厚生年金保険適用事業所全喪届 被保険者資格喪失届	5日以内
労働基準監督署	労働保険概算・確定保険料申告書	50日以内
ハローワーク	雇用保険適用事業所廃止届	10日以内

それでは、1つずつみていきたいと思います。

①　各種届出・申請

個人としての運営ではなく、法人としてクリニックを運営していた場合には、医療法人の解散手続も必要となってきます。

医療法人の解散のためには、社員総会による決議・都道府県知事の認可（医療審議会による審査必要）・官報公告・債権者等への通知・法人登記手続きなどが別途必要となり、解決すべき事項が増えることとなります。

②　スタッフ（従業員）の処遇

クリニックをクロージングする以上、スタッフには退職してもらわなければなりません。

しかし、クロージングするからと言って、当然に退職してもらえるわけではありません。退職するかどうかの判断は、スタッフ側が行うものであり、仮に、スタッフが自ら退職しない場合には、解雇を行わざるをえないところ、当該解雇が常に有効とされるわけではないのです。

スタッフはクリニックでの就業により生計を立てているのですから、例えばクロージングの1か月前になり、突如として「来月、クリニックを閉めるから」と告げても、スタッフとしては困惑しかありません。

そのため、クロージングを決めた後、できるだけ早い段階で、クロージングすることになったいきさつやクロージング時期を伝え、次の就業場所を探す時間的余裕を与えたり、院長自らスタッフの転職先をみつけたり、場合によっては退職金を上積みするなどして、スタッフに配慮することが必要となってきます。

そのような手続的配慮を行ってもなお理解を得られず、退職して貰えない場合に、やむなく解雇ということになるのですが、気持ちよくクロージングするためにも、解雇せざるをえない事態にはならないように対応していきたいところです。

③　患者さんの他院への引継ぎ

患者さんの状態により、患者さんの要望を踏まえつつ、最終的には院長の判断で引継ぎ先を決めていただくだけでよいのですが、カルテ等の診療情報の引継ぎについては、注意が必要となります。

「個人情報の保護に関する法律」において、事業譲渡等の場合には、事業の承継に際して行われる個人情報の取得については、承継前における個人情報の利用目的の達成に必要な範囲であれば、本人の同意がなくてもよいとされています。

しかし、クロージングにともなう患者さんの引継ぎも同じように解して、患者さんの同意なくカルテ等を引き継いで良いかはやや疑念が残るところです。

一方で、そもそも他院への引継ぎにあたり、患者さんに説明した上で行っており、今後は紹介された他院にて治療にあたることを同意している以上、カルテ等の引継ぎにも当然同意しているのではとも思われるところです。

しかし、「すべての情報について引き渡しても良いとは言ってない」という方がいないとも限りませんので、患者個々人から、カルテ等についても引き継いで良いかの確認・同意を明確にとるのが無難と言えるでしょう。

④ 医薬品・医療機器の処分

医薬品・医療機器の処分については、安易に知り合いのクリニックに譲渡することは避ける必要があります。

医薬品・医療機器ともに、「医薬品、医療機器等の品質、有効性及び安全性の確保等に関する法律」（いわゆる「薬機法」）において、販売・譲渡について厳密に管理されており、譲渡にあたっては卸業者を介するなどの対策が必要となる場合があります。

もちろん、医療部材の全てについて、そのような対応が必要なわけではありませんので、処分したい物に応じて、対応をご検討いただければと思います。

⑤ クロージング後の記録の保管

最後に、クロージング後の記録の保管については、「保険医療機関及び保険医療養担当規則」において明確に保管期間が定められており、カルテについては5年、それ以外の記録（レントゲン撮影データ等）は3年となっています。

したがって、当該期間については、紙類であれば倉庫や自宅において、データであればハードディスクやサーバーを確保して保管・管理しておくことが求められます。

いずれも、重要な個人情報が含まれているものですので、安全に管理できる環境を維持することが求められます。

以上挙げたもの以外にも諸々の対応が必要となり、クリニックのクロージングのためには、数多くの法的課題をクリアしていくことが求められるのですが、旭先生はいずれも鮮やかに解決されております。

クロージングと事業承継のいずれかでお悩みの場合や、クロージングを決めたもののどうすれば旭先生のような見事なクロージングを実現できるのかお悩みの際は、お気軽にご相談ください。

親和法律事務所　弁護士　齊藤　宏和

住　　所：東京都千代田区平河町1－6－4　H10平河町601

電話番号：03－6272－3550

3. 建築物の利用方法

工学院大学　建築学部建築デザイン学科 教授　筧　淳夫

ジョン・ウィークスというイギリスの建築家は、かつて1950年代に病院の「成長と変化」というキーワードを提唱しました。

20世紀になった頃から病院は時代とともに医療機能の高度化、専門化が進み、それに合わせて病院という建物は、どのような変化を遂げるかは推測できないが、必ず成長し変化すると言いました。

病院建築の計画において、この「成長と変化」は重要なキーワードとして位置づけられており、1970年代以降の病院を建てる際には、常にそのことを考えながら建物が造られてきています。

ただし、ジョン・ウィークスが言った成長と変化は右肩上がりの成長と変化を想定しているので、この考え方は今の時代にどのように捉えるべきなのでしょうか。

これまで医療施設の計画においては、新しく建物を建てたり、既存の建物を改築・改修したりするといったことばかりが議論の対象となっていました。

しかし一方で、病院の数は1990年の10096病院をピークに減少を続けていて、2020年には8238病院となっています。

この現状から考えると、医療施設を閉鎖するときの施設計画については、これからの大きな課題であると考えられます。


ところで、こうした公共建築物の閉鎖の先行事例としては、全国の小・中学校が挙げられます。小・中学校においては、かなり以前から児童・生徒数の減少にともない学校の閉鎖がおきていました。

小学校の数が最も多かったのは1957年の約27000校であり、その後些少の変動はあったものの、概ね漸次減少を続けていて2019年には約19000校となっています。

そうした中で廃校となった校舎が藪の中で果てていることを見ることは少なくありません。

しかし一方で、廃校となった校舎が地域の集会施設や宿泊施設に転用されたり、時には魚の養殖施設として活用されたりなど、新しい地域産業の拠点として有効活用されている様子がニュースとなってテレビなどで報じられていることも少なくありません。

医療施設もその後を追うことになるのでしょうか。

戦後、日本の人口は増加を続け、周知のように2000年頃をピークとしてその後減少に転じています。最近、社会保障・人口問題研究所がおよそ50年後の2070年に日本の人口が8700万人になると推計しています。

現在の人口が12615万人（2020年）ですので、今よりもおよそ4000万人が減少すると考えられているのです。

医療需要はさまざまな要因の影響を受けますが、その中で最も影響力の大きいものは人口でしょう。

そこでこれまでとこれからの人口の増減の中で、医療施設の建物の寿命を考えてみましょう。

病院やクリニックといった施設種別や建物の構造種別によって、建物の寿命は異なってくると思いますが、仮に建物の寿命を40年だと考えると、その建物がいつ造られたのかによってその顛末は大きく異なってきます。

すなわち、戦後から2000年にかけての人口増加期においては、医療施設として建てられた建物は、

40年後になっても医療需要が増加していたので医療施設を必要とする患者がいるために医療施設としての機能を継続していました。

それゆえに医療施設として造られた建物が、医療施設としての寿命をまっとうすることができたのです。

2000年をピークとするその前後の人口安定期においては、人口は大きく変化がないものの、高齢化率が高まることによって患者が増え、やはりこの時代に造られた建物は、病院としての寿命をまっとうすることができたのです。

しかし、これからは、人口が大きく減少する時代となります。

今後、医療施設としての建物を整備しても、その建物の寿命が尽きるときまで、その建物が医療施設としての機能を求められるかと考えると、答えはかなり悲観的です。

ところで、医療施設の継続性についてはもう一つ別の問題があります。

それは戦後私たちの生活場所がいわゆる「土地」と切り離されてきたことに近いイメージがあります。

かつては生まれ育った土地に縛られていて、その場所で一生をすごすことが一般的でした。

しかし、戦後「金の卵」と言われて都会へ働きに出るようになり、また大学への進学をきっかけとして、一人暮らしを始めるようになりました。

そしてそのまま生活拠点を「実家」から離れた都会に構えるのが一般的な住まい方となっています。こうなると世代を超えての土地とのつながりが希薄になってきます。

病院の場合は組織として運営されているので、その運営の継続性がある程度担保されていますが、クリニックの場合はその多くが個人で運営されているので、その個人が何らかの理由で診療の継続ができなくなった場合に、クリニックそのものの存亡に直結してしまいます。

しかもそのクリニックは、その医者の生まれ育った土地とはまったく関係ないところに造られることが少なくありません。

このようなリスクがある中で、クリニックが土地建物といった不動産を所有すると、さまざまな問題が生じます。

旭先生の場合、幸いにして、残された建物を引き継ぐ方がいらっしゃったようであり、土地建物の処分の問題に関しては、大きな課題とはならなかったようです。

しかし、これからは、医療施設を運営しながら、部分的な施設のクロージング、または転用といったことを視野に入れて、施設整備を行い、また、日常のマネジメントをしていく必要があるのではないでしょうか。

4. クリニックのクロージング

藤田医科大学　特命教授　三浦　公嗣

1. クリニックのクロージングの背景

地域医療の担い手として長きにわたり活動してきたクリニックが閉鎖され、あるいは設置者や管理者が変更される（以下「終業」という。）背景として、言うまでもなく人口減少社会の到来が挙げられます。さらにそれを因数分解すると医療提供者側の理由と医療利用者側の理由に分けられると考えますが、その一つが直接の原因となることもあれば、いくつかが複合して最終的に終業に至ることも多いのです。

医療提供者側から見れば、働き手不足、すなわち医師や看護師をはじめとする医療従事者を確保することが困難になり、特に医師の働き方改革の進捗がさらにそれを後押ししているという指摘もあります。医療従事者も社会の一員であり、高齢化に伴って心身の不調により離職せざるを得ず、その後任が見つからないために終業に至るという例もしばしば聞き及びます。

そのような状況の中で、地域住民の高齢化後に訪れた著しい人口減少という医療利用者側の理由が加わってクリニックの経営を維持することができなくなり、終業することも少なくありません。

「まず地域から金融機関が撤退し、次に公共交通機関が撤退したことがとどめとなって、とうとうクリニックの撤退を決意せざるを得なかった」という声を聞いたことがあります。

終業を決意するまでの長い葛藤の期間を考えると、その結論はやむを得ないと言わざるを得ません。

地域医療を支える医師の高齢化も著しくなっています。

その一方で、病院において専門分野について研鑽に努めてきた次の世代の医師にとっては、総合診療能力を求められる地域医療を一人で担うことの重責に悩み、新たにクリニックを開設することを躊躇することもあるのでしょう。

さらに、わが国の医療動向を見てみれば、長期にわたり外来受診率の低下が持続しており、経営面での不安も大きいと言えるでしょう。

医療技術のミスマッチングや経営リスク等を考慮し、その結果としてクリニック数の減少が続いていることは自然の成り行きとも言えます。

そして、地域医療を担うクリニックの減少を医療利用者である住民の視点から見てみれば、例えば何らかの理由で入院したものの、退院後に在宅で医療サービスの利用を継続することが困難な地域に戻ることができず、結局、長年住み慣れた地域を離れて人口が集積し医療資源が豊富な地域に転居を迫られるということになりかねず、それが更なる人口減少に繋がっていくことになります。

医療提供者側の理由と医療利用者側の理由が負のスパイラルのように連鎖することが、最終的には終業という現象に繋がっているのではないでしょうか。

このような流れに抗していくためには医療政策という限られた分野での対策では不十分であることは明らかであり、地域住民と医療提供者を支えていくための大きな政策パッケージが必要になるのではないでしょうか。

2. 診療録等の保管

終業を達成するためには多くの手続きが必要になりますが、ここでは診療録（カルテ）等の取扱いについて、関係する制度について述べます。

診療録等については保管義務があることは周知のとおりですが、保険医療機関及び保険医療養担当規則第九条の規定によって、「保険医療機関は、療養の給付の担当に関する帳簿及び書類その他の記録をその完結の日から三年間保存しなければならない。ただし、患者の診療録にあっては、その完結の日から五年間とする。」とされています。

終業後もこれらの義務は維持されるので、保管義務がある文書等を誰がどのように保管するかということが課題となります。

保管業務と、場合によっては保管期間を過ぎた診療録等を廃棄する業務を担う業者も存在していますが、その内容は患者の将来の健康にも深く関わるものと捉えれば、できるだけ長期に保管して、いわばアーカイブとして社会全体でその管理と活用に当たるということを検討してもよいかもしれません。

もちろんその経費を誰が負担するかという点についても前述の業者に依頼する場合を念頭に置いた議論が必要でしょう。

カルテに関する逸話を一つ。

筆者の知人の医師がそれまで父親が管理してきたクリニックを継承することになり、そのクリニックに立ち入ったとき、カルテが「いろは順」に整理されていたとか。

クリニックでの最初の仕事はそれを「あいうえお順」に並べ替えすることであったと。診療録等の保管といっても容易ならざる事態も想定しなければなりません。

3. クリニックの継承と自由開業制

そもそもクリニックの開設は、いわゆる自由開業制に基づいて行われてきたといえますが、そのような制度を裏付ける具体的な規定が存在しているわけではなく、不文律として社会的に認知されてきたと言えます。

しかし、最近では、医療機関の外来機能についての議論が行われるなど、従来の医療計画の枠組みを拡大する動きもみられます。

特に、2023年5月11日に開催された財政制度等審議会・財政制度分科会（財務省）では、クリニックの新規開業規制について、各国の例を参考にもう一歩踏み込んだ対応が必要ではないかと財務省が主張するなど、入院機能を裏付ける病床規制にとどまらず、外来機能についての評価がいよいよ本格的な議論のテーマになってきています。

そしてこの種の議論を展開するその先の課題として、自由開業制への何らかの公的介入という議論が存在しています。

すでに過疎地域での医療機能の低下と都市部での充実が地域格差として存在していることは、自由開業制への批判となっていることは否めません。

実際、厚生労働省が2023年5月に示した「外来医療に係る医療提供体制の確保に関するガイドライン〜第8次（前期）〜」では、

「外来医療については、

・地域で中心的に外来医療を担う無床診療所の開設状況が都市部に偏っている

・診療所における診療科の専門分化が進んでいる

・救急医療提供体制の構築、グループ診療の実施、放射線装置の共同利用等の医療機関の連携の取組

が、地域で個々の医療機関の自主的な取組に委ねられている等の状況にある。」

と指摘しており、地域ごとの外来医療機能の偏在等の客観的な情報を、

「新たに開業しようとしている医療関係者等が自主的な経営判断に当たって有益な情報として参照できるよう、可視化して提供することで、個々の医師の行動変容を促し、偏在是正につなげていくことを基本的な考え方としている。」

と、一義的には開業地の選択を医療機関による自主的な判断に委ねている一方で、

「都道府県は、外来医師多数区域において新規開業を希望する者に対しては、当該外来医師多数区域において不足する医療機能を担うよう求め、新規開業を希望する者が求めに応じない場合には協議の場への出席を求めるとともに、協議結果等を住民等に対して公表することとする。」

としているなど、自由開業制については行政が一定程度の介入を行うことを認めています。

実務の問題として、行政が個別のクリニックの終業を留めおくことは極めて困難であるとは考えられますが、行政がクリニックの開業について介入するのであれば、地域の医療提供の中心的役割を担ってきたクリニックが終業する場合にもその後継者の確保等に向けて更なる支援の充実が必要なのではないでしょうか。

第４部
竹田健康財団と経営戦略

一般財団法人　竹田健康財団　理事長
竹田　秀

一般財団法人　竹田健康財団　本部長
東瀬　多美夫

1．竹田健康財団の現状と事業継続性

一般財団法人　竹田健康財団　理事長　竹田　秀

私と竹田綜合病院との関わりと病院経営の取り組みについて述べたいと思います。

【竹田綜合病院の常勤理事として赴任するまで】

1．竹田綜合病院の沿革

竹田綜合病院は、昭和3年8月8日に私の祖父である竹田秀一が竹田内科医院を開設した時を嚆矢とします。竹田秀一は東北帝国大学内科出身の医学博士でした。会津若松では初の医学博士によるクリニックとして大変評判を呼びました。昭和10年には竹田病院を新築して移転するとともに、東京帝国大学外科出身の実弟である塩川五郎を迎え内科と外科を二本柱として発展してきました。さらに小児科、産婦人科、耳鼻咽喉科等の診療科の充実を図り、昭和25年には財団法人竹田綜合病院となり今日に至っています。

なお平成25年に法律改正により財団法人竹田綜合病院から一般財団法人竹田健康財団に移行しており

ます。

2. 学生時代から富士通時代

私は小学校から高校までは東京の成蹊学園に通っていました。子供の頃から夏休みや冬休みには、会津若松の祖父竹田秀一と祖母竹田きよしの元で過ごすのが常でした。したがって会津という土地にもなじみがあり、医療も身近に感じて成長してきたと言えます。

大学進学にあたっては周囲からは当然医学部進学を勧められましたが、生物や暗記科目は苦手で、自分の頭だけで論理的に考えることができる数学にひかれていましたので、昭和42年に東北大学の理学部に進学しました。

大学2年の頃からは全国的に学生運動が盛んになり、大学も長期間閉鎖されていましたので、ほとんど勉強をしないで学生生活を過ごして卒業したように記憶しています。

昭和48年に大学卒業を迎えますが、当時は外国のコンピュータメーカーに対抗して国産メーカーによるコンピュータの開発が盛んになった時期でした。（性能的には今のパソコンにも及びませんが）私も先端技術にあこがれてコンピューターメーカーを志望いたしました。当時会津若松には富士通の半導体工場が進出しており、そのような縁もあって富士通に就職することになりました。

富士通ではSEとして主に宇宙開発のシステムを担当し、システム設計やソフトウェア開発に携わりました。文部省宇宙科学研究所（旧東大宇宙研、現在のJAXA）のシステムを担当し、夏と冬にはロケットや人工衛星打ち上げのために鹿児島の内之浦の実験場で仕事をしていました。

ロケットの打ち上げは夢のある仕事であり、発射場の現場には一般の人は立ち入れないので普通ではなかなか体験できない貴重な経験ができたと思います。ロケット・人工衛星打ち上げの業務は数百人、数十社に及ぶ人々が全体スケジュールに従って、それぞれの部門が協力して調整・試験をしながら作業を進めていきます。

そのような体験は大きなプロジェクトを管理する手法を学ぶのに役立ちました。ロケットの打ち上げ予定日は決まっています。自分の担当部門で遅れが出るとプロジェクト全体にも大きな影響を与えて迷惑をかけてしまいますので作業の進捗管理には神経を使いました。

3．竹田綜合病院との関わり

竹田（綜合）病院は初代理事長竹田秀一のあとを受けて弟の塩川五郎が2代目理事長を務めていましたが、昭和45年に塩川五郎が逝去すると3代目理事長に私の父の竹田厚太郎が就任しました。

父は千葉大学の哲学の教授であり東京で生活していましたので、病院に行くのは月1、2回程度だったように思います。

昭和52年には私は財団法人竹田綜合病院の評議員となりました。評議員会は年1回の開催ですので会社の仕事の支障になることはありませんでした。

昭和57年6月に私は理事に就任することになりますが、1か月後の7月23日に父厚太郎は逝去します。後任の4代目理事長には副院長の山口善友氏が就任しましたが、2年後の昭和59年9月にお亡くなりになります。10月に元会津若松市長を務めた高瀬喜左衛門氏が第5代理事長に就任いたしました。

私は前年昭和58年に副理事長に就任していましたが、病院幹部による運営管理会議に月に1回ほど東京から訪れて参加する程度でしたので病院運営にはあまり関わっていませんでした。

4. 常勤の副理事長就任へ

昭和62年だったと記憶していますが、高瀬喜左衛門理事長が東京の私の自宅を訪れて病院の経営を手伝って欲しいとの申し出をされました。

富士通での宇宙関連の仕事は楽しく満足しており、それまで病院経営に取り組むことを考えたことは無かったので悩みました。父が理事長を務めていた時は千葉大の仕事があるため東京におりましたので、周辺からは理事長としての常勤体制を望む声があることは知っていました。したがって病院の仕事を引き受けるとすれば会津若松に居を構える必要があると認識していました。

しかし家内は東京での生活を望んでいましたし、私の年齢も40歳直前ということもあり、進路を変更することには不安もありました。

それでも会津若松に行く決断をしたのは2つ理由があります。

一つは富士通は数万人の大組織なので私の代わりはいくらでもいるだろうということです。

もう一つは病院の経営状況の悪化です。竹田綜合病院の医業収支は昭和54年度の9・4億円をピークとして年々下降傾向にあり、昭和60年度2・1億円、昭和61年度1・0億円、昭和62年度1・8億円と低迷傾向でした。このまま推移すれば赤字になることが想定されました。第三者の立場の方ではなかなか思い切った改革を進めにくいと思い、竹田の血を継ぐ自分がやるしかないと決断いたしました。

当時は医療政策についての知識もありませんでしたが、今考えますと病院経営の悪化の原因は、医療費抑制政策と昭和60年に実施された第1次医療法改正の影響が大きかったのではないでしょうか。

5. 病院管理研究所の研修

昭和63年3月に富士通を退社して4月から財団法人竹田綜合病院の副理事長に就任することになりますが、病院や医療についての基本的知識が全くありませんでしたので、厚生省の病院管理研究所の3か月の病院管理の研修（専攻科）を受けることにいたしました。

当時病院管理研究所は東京新宿区の戸山にありましたが、現在は国立保健医療科学院として和光市に移転しています。

病院管理研究所の先生方は、我が国の保健医療分野を代表する研究者ばかりでした。多くの先生方とは現在も学会などでおつきあいがありご指導を賜っています。

特に小山秀夫先生、筧淳夫先生には（一財）竹田健康財団の理事としてご指導を頂いています。専攻科の研修は3か月でしたが非常に内容も濃くて大変勉強になりました。特に聖路加国際病院や虎の門病院等の有名病院を見学できたことは参考になりました。

現在では医療機関の経営管理を専門とする大学や研修機関も増えてきましたが、我が国で最初にできた病院管理学を学べる伝統ある専攻科が無くなったことは残念です。

6. 真鍋薫理事との思い出

旭英幸先生の父上である真鍋薫理事は度々私の自宅を訪れて父と会食していた記憶があります。旭先生の文章にありますように父と真鍋薫先生は長年にわたり親友として親交を深めてきたと思います。

父は病院経営にあたり信頼できる相談相手として弁護士でもある真鍋薫先生を昭和49年に理事として迎えることにいたしました。当時は真鍋薫先生とそれほどお会いする機会はありませんでしたが、私が昭和63年に常勤の副理事長になるといろいろと気を遣って頂き、厚生省の幹部の方をご紹介頂くなど様々な面でご指導を賜りました。真鍋薫先生は東山温泉に泊まるのを大変楽しみにしておられ、理事会のあとは東山温泉に宿泊して帰られるのが常でした。

その後理事の職を息子の旭英幸先生に任せたいとのお話があり現在に至っています。父厚太郎と私の二代に亘り真鍋薫先生と旭英幸先生にお世話になっており真に感謝に堪えません。

【副理事長時代】（昭和63年～平成7年）

1．医療界に入って感じたこと

昭和63年の8月に病院管理研究所の専攻科の研修を終えて竹田綜合病院に着任いたしました。

病院も会社も人を動かして仕事をするという点ではそれほど大きな違いはないと思います。もちろん法的な制度や専門用語などは異なりますが、組織マネジメントの観点からは人間の組織を動かして目的を達成するという点は共通しています。一般企業と病院で大きく異なると感じたのは次の3点です。

1つ目は一般企業では顧客中心主義が徹底しておりサービスを受ける側の価値観が優先されるのに対し、病院ではサービスを提供する側の論理が優先されがちなことです。医療の提供側が専門的な情報を多く持っており、情報の非対称性が存在するのでやむを得ない面はありますが、顧客の価値観をより重視した運営を行う必要性を感じました。

2つ目はPDCAサイクルの欠如です。病院は日々大勢の外来、入院患者さんを診療・ケアしなければならずそれをこなすだけで1日が終わってしまいます。患者さんを診ることはもちろん重要ですが、1年365日を目先の業務に追われて過ごしていたままで5年後、10年後に個人や組織の成長が期待できるのかという疑問がわきます。やはり個人や組織の目標を設定して半年、1年後に目標の達成度を評価してフィードバックを行うという仕事のサイクルを実行する必要があると思いました。

3つ目は組織マネジメント能力の向上です。

多くの大企業では幹部社員を養成するために教育研修制度を取り入れています。残念ながら病院では専門職としての職種ごとの教育・研修の機会はありますが、経営管理者（管理職）となるための組織マネジメントの教育は行われていませんでした。したがって病院での組織の管理手法は学校の先輩・後輩や縁故関係といった人間関係と上位者による情報の独占という手法が多く見受けられます。

P・F・ドラッカーは『マネジメント（中）』（2008年 ダイヤモンド社）で次のように指摘しています。

「組織の目的は、凡人をして非凡さをなさしめることにある。組織は天才に頼ることはできない。天才はまれである。凡人から強みを引き出し、それを他の物の助けとすることができるか否かが組織の

良否を決める。・・・

要するに組織の良否は、そこに成果中心の精神があるか否かによって決まる。・・そのためには焦点は強みにあわせなければならない。組織の精神とは仲良くやっていくことではない。組織における判定の基準は成果であって仲の良さではない。仕事上の成果に基づかない人間関係は、貧弱な人間関係であって、貧しい精神をもたらすだけである。」

2. 職員研修制度（能力開発制度）の確立

医療サービスを支えるのは人であり、特に中間管理職のマネジメント能力の向上が必要だと考えて平成2年から職員研修制度を開始しました。富士通の能力開発制度を参考に経験年数（キャリア）に応じた階層別の研修としました。職員研修は強制的な参加ではなく、あくまでも個人の自主性を重んじた能力開発の機会の提供であるという位置づけです。

プログラムは自由選択ですが、監督職（主任、係長）、管理職（課長、科長）になるには必修の研修を受ける必要があります。

最初の研修の講師は先年亡くなられた岡田玲一郎先生と現在も講師をお願いしている朝川哲一先生でした。現在研修のコースは約20コースあり2000名を超える職員のうち、年間で約半数の職員が何らかの研修を受講しています。また通信教育のコースも多数用意しており、受講を完了すれば費用の半分は病院が負担しています。

その他にも各種の公的資格を取得するとお祝い金として一時金を支給するなど、職員の能力開発には力を入れており大きな成果をあげていると自負しています。人を育てるには時間がかかります。

職員研修制度も33年の歴史を経て参りましたが、他の組織と比較しても着実に人材が育っていると感じています。今後も能力開発制度のさらなる充実を図っていきたいと考えています。

3．消費税と院外処方の購入

平成元年4月から我が国に3％の税率で消費税が導入されました。ご承知のように診療報酬は非課税とされたため医療機関では、仕入れに係る負担した消費税が控除できないいわゆる控除対象外消費税の問題が発生しました。

特に薬や診療材料を大量に仕入れる大病院ほど大きな影響を受けました。当院の医業収支の推移は次のとおりです。

昭和62年　1・02億円
昭和63年　1・87億円
平成元年　△1・16億円（消費税導入）
平成2年　△1・89億円
平成3年　△6・60億円
平成4年　△6・9億円
平成5年　△6・68億円
平成6年　0・46億円（院外処方開始）

一目でわかるように消費税導入とともに医業収支は大幅な赤字となりました。一方、平成6年に院外処方に切り替えたことにより赤字から脱却できました。ここは議論する場ではありませんが、34年たった現在も医療機関の消費税問題が抜本的に解決されないことは極めて残念に思います。

【理事長就任以降】（平成7年～）

1. 新経営理念の制定

平成7年に高瀬喜左衛門理事長が退任し私が理事長に就任することになりました。

理事長に就任して最初に手掛けたことは、職員の意識を統一し組織の進むべき方向性を示すための新たな経営理念を制定することでした。

詳しい説明は省略しますが、新たに制定した経営理念と使命は次のとおりです。

☆経営理念

・信頼されるヘルスケアサービスを提供し地域に貢献する

・職員が成長し喜びを感じられる組織風土を造る

☆使命

質の高い保健・医療・福祉の機能を提供し

地域の方の健康に関する問題解決を支援する

2. 新人事制度の導入

40年ほど前は病院経営指標の代表とされたのは人件費率です。

医療収益に対する人件費率が50％未満であればA、50％～55％であればB、55％～58％でCというような評価がなされていました。

私が着任した頃の竹田綜合病院の人件費率は56～57％でした。現在では病院機能や診療報酬も多様化していますし、院外処方の有無や業務委託の範囲によって人件費率は大きく変わりますので単純に人件費率だけで経営の可否を評価することはなくなりました。

それでも平成7年頃は院外処方の次の課題として人件費への対応が急務でした。当時多くの民間病院は公務員準拠型の給与体系を採用していました。したがって病院の収益の伸び率と無関係に自動的に公務員と同じく昇給するため人件費率が高くなりがちでした。

診療報酬の伸びが抑えられている中で病院の業績に見合った範囲内に人件費をコントロールするためには、公務員準拠の給与体系を改め病院独自の給与体系を導入する必要がありました。

また従来は人事考課制度がなかったため、1年たつと全員が自動的に昇給しましたが、人事評価制度を取り入れて成果を上げた度合いによって個人ごとに昇給額が変動するような仕組みが必要だと考えました。給与を経験給と業績給の2本立てとして業績給は個人個人の業績の評価によって変動するようにいたしました。

新人事制度は人件費の総枠の管理を可能にするとともに、個人個人の目標を設定することにより個人の目標達成の意欲を引き出して組織の活性化を目指すものです。平成7年から新人事制度の検討を始めましたが、時間をかけて職員や組合の理解を得ながら進めたため、新人事制度が正式にスタートできたのは5年後の平成12年になりました。

現在では人事評価制度も定着しており、人件費の総額もコントロールすることができています。

3. 経営の透明化の確保

財団法人はその公益性が高い立場から鑑みて経営の透明性を確保することが求められます。そのためには外部から見て信頼性の高い会計処理が行うことが必須です。会計処理は会計制度や税制等の制度変更も多々ありますので、内部関係者の主観的な判断に全てを任せていてはどうしても限界があります。

そこで平成12年から監査法人による外部監査を実施しています。正確で信頼性の高い会計処理を行い、財務諸表を作成することは対外的な信用を高めるだけでなく、的確な経営判断を行う上でも重要です。公認会計士による会計監査、業務監査を実施することによって財務会計の透明性が高まるとともに、助言・指導を受けることで仕事のやり方の改善にもつながっています。

また平成18年からは日本格付研究所による長期格付審査を受けております。これは病院の新築に伴う資金調達に際しての信用力の証明と経営の安定性についての外部機関からの評価を得るために始めました。格付の審査は単に資金面から見た返済能力だけを評価するのではなく、長期的経営戦略、当該医療圏での競争力、社会貢献など総合的・多面的に評価を行います。したがって総合的にみた経営能力と経営実績を評価して頂ける貴重な機会だと捉えて毎年継続して行っています。

（一財）竹田健康財団は現在まで「A（Aマイナス）、安定的という評価を維持していますので、更に上の評価を目指していきたいと思っています。

4. ビジョン経営

病院の長期的将来像を示すために、平成10年（1998年）に12年後のあるべき姿を示すものとして「VISION TAKEDA―2010」を制定しました。このビジョンの策定には10名程の中堅職員によるプロジェクトチームを編成し1年間検討を行ってまとめました。

病院の長期的経営目標をビジョンという形でまとめた「ビジョン経営」を志向した理由は次のとおりです。

① ビジョンによって組織の進むべき方向性を示すことで組織の力を一つの方向に集中することができる。

② 環境の変化（医療制度、技術革新）が激しい時代には将来を精確に予想することは難しいので、組織の大きな方向性を示した上で、環境の変化に柔軟に対応していくビジョン経営がふさわしい。

③ 分析的手法による経営戦略は、あくまで過去のデータに基づくものであり、将来を示すものではない。ビジョン経営は将来の方向性を示し、未来を実現するものである。

④ トップダウンではなく組織の構成員がビジョンを共有し、一人ひとりがダイナミックにビジョン志向のリーダーシップを発揮することがビジョン経営である。

■VISION TAKEDA―2010（第1次ビジョン計画）

VISION TAKEDA―2010は8つのプランで構成されています。

① プラットフォームプラン（基盤である医療事業計画）
② プラチナプラン（高齢者の介護事業計画）
③ ウェルタイムプラン（健診・健康増進事業計画）
④ エクセレントクオリティプラン（品質向上計画）
⑤ ロイヤルカスタマープラン（顧客満足向上計画）
⑥ ドラッカープラン（経営安定計画）
⑦ ヒューマンキャピタルプラン（人材育成計画）
⑧ ヴォイスプラン（組織活性化計画）

◆成果

（1）「山鹿クリニック」の開設（2002年）

（2）「こころの医療センター」の新築開業（204床）（2009年）

（3）「総合医療センター」の新築開業（633床）（2012年）

この間2008年のリーマンショック、2011年の3・11東日本大震災など多くの出来事がありましたがビジョンがあったおかげで乗り越えられました。

リーマンショックは2008年8月に起きましたが、5月に病院建設のためのシンジケートローンの契約を済ませていたので影響はありませんでした。もう少し遅れていたら融資交渉は難航したかも知れません。

総合医療センターの建設も1年遅れていたら東日本大震災の影響で、資材の高騰、建設作業員の不足等で建設費が高騰し大幅に費用が掛かったと思います。

■VISION TAKEDA―2020（第2次ビジョン計画）

団塊の世代が後期高齢者となる2025年に向けての新たな病院のビジョンを検討し、まとめました。

2018年5月にキックオフ宣言を行い「VISION TAKEDA―2020」を発表いたしました。内容は小冊子にまとめ全職員に配布しました。

「VISION TAKEDA―2020」は次の3つの柱から成っています。

①「地域包括ケアシステム」の構築

☆高齢者・障がい者・こども等すべての地域の方に対して、居住している場所で必要な医療・介護・生活支援サービスが提供できる街づくりを推進する

②「ICTの活用」による医療・介護の質の向上と地域振興

☆ICT・ロボット技術等を現場で活用しサービスの質の向上を図り、会津大学や先端企業と連携して研究開発を行うとともに地域経済の活性化を目指す

③国際化と人材育成の推進

☆海外との交流促進、優秀な人材の育成と交流を図る

◆成果

（1）地域包括ケアシステム」の構築では次の施設を「山鹿クリニック」の近隣に開設いたしました。

・小規模多機能型居宅介護事業所「オレンジ」開設（2019年）

・看護小規模多機能型居宅介護事業所「かをり」開設（2019年）

・総合発達支援プラザ「フラップ」（1号館、2号館、3号館）新築移転（2019年）

・「竹田ほほえみデイサービスセンター」新築移転（2020年）

（2）「ICTの活用」では、DX（デジタルトランスフォーメーション）を推進するためにDX推進課を新設しました。会津若松市の進めているスマートシティ構想や、デジタル田園都市国家構想についてもヘルスケア分野で様々な企業と連携しながら推進に取り組んでいます。

（3）国際化と人材育成の推進についてはCOVID-19パンデミックにより中断した時期もありましたが、ベトナムからの介護の技能実習生の受け入れも2024年には3期生を受け入れます。中国からの医師の研修生の受け入れも現在まで50名以上の実績がありますが、2024年には再開できることを期待しています。

2. 竹田健康財団のこれまでと病院の寿命

一般財団法人　竹田健康財団　本部長　東瀬　多美夫

企業の成長サイクル

人生には、幼年・少年・青年・壮年・初老・中年・熟年・高年・老年の9つの区分があります。天寿を全うできることもあれば病気や怪我、天災、戦争、犯罪等で全うできないこともあります。

企業にも人間と同じように、創業期・成長期・成熟期・衰退期といった成長サイクルがあるといわれています。企業も同様で社会の中で長期にわたり役割を果たし続けることもあれば、誕生間もなく資金調達不調や、社会経済の環境変化等で経営難に陥り、早期に消滅することもあります。

昨年の企業の寿命は23・3年

東京商工リサーチは今年2月16日に、2022年に倒産した企業の平均寿命が23・3年だったとのレポートを出しています。

それによると前年は23・8年だったので0・5年短くなっています。

この調査は、2022年の全国で倒産した6428件（負債1千万円以上）のうち、創業年月が不明の779件を除いた、5649件を分析の対象にしています。

創業30年以上の老舗企業の倒産は1904件（構成比33・7％）で、構成比は前年より0・1ポイント低下し、3年ぶりに前年を下回ったとしています。

創業から間もない新興企業は全体の29・6％で約3割を占め過去最高を記録しました。新興企業の短命化が進んでいます。

法人格別では、老舗企業の構成比は株式会社、有限会社、医療法人で上昇し、合同会社、一般社団法人、合資会社、個人企業で低下しています。

老舗企業の構成比の最高は、合資会社の58・3％（前年64・7％）で、2年連続で低下し、その後に有限会社が47・0％（同48・8％）、医療法人32・1％（同15・3％）、株式会社31・8％（同31・5％）と続いています。

産業別でみると、製造業が35・7年、卸売業が27・9年、運輸業が26・2年、サービス業が17・8年、情報通信業が16・9年、金融保険業が12・5年の順となっています。

前年から平均寿命が延びている業種は、運輸業と情報通信業となっており、他は前年より短くなっています。

老舗企業の倒産比率が高い地域は、北陸が47・1％、四国が45・7％、中国が42・8％、中部が38・1％、東北が37・3％、近畿が32・8％、九州が31・3％、関東が30・9％、北海道が30・7％の順となっています。

老舗企業は、その年月に応じて金融機関や取引先との関係を築き上げていますが、過去の成功体験にとらわれ、外部環境の変化への対応が遅れるケースもあるといわれています。

また、高齢の代表者は、生産性向上や市場拡大への投資に消極的で、事業承継や後継者育成も後手に回りやすく、倒産や休廃業に追い込まれやすい、と指摘しています。

COVID―19感染拡大の長期化やウクライナ戦争による市場の混乱、円安による原材料や資材・エネルギー価格の高騰、サプライチェーンの混乱、働き方改革による輸送コスト上昇懸念等で行き詰まるケース等が指摘されており、経営基盤が脆弱な新興企業の倒産増が平均寿命を短縮させているとのことです。

当院の第Ⅰ期成長スパイラル

昭和3年8月　医院開業　職員10名

昭和8年8月　山鹿町に土地取得

昭和10年11月　病院開設　45床　職員22名

昭和11年　伝染病棟19床　64床

昭和16年　結核病棟26床　90床

昭和16年　結核病棟31床　121床

昭和18年　一般病棟36床　157床

昭和20年11月　今日の誓言　職員88名

昭和21年9月　株式会社竹田病院

昭和21年11月　竹田病院院歌
昭和24年　増床　218床
昭和25年3月　財団法人　255床
昭和26年4月　看護婦養成所　275床
昭和27年　341床
昭和28年8月　欧州米国視察　389床
昭和29年　480床　職員183名

八月八日は、当院の創業記念日です。創業者竹田秀一が、漢字で書けば末広がりで縁起が良いと、この日に決めました。

休業していた賀川産婦人科医院を借りて、昭和3（1928）年若松市大和町で開業しました。当初は医師1名、看護婦4名、その他5名の計10名でのスタートでした。

開業後、たちまち評判が広がって市内はもとより近郊からも患者が集まり、毎日80名から100名が受診に訪れました。

入院患者も1日6名程度受け入れていました。

医院の経営は順調に推移し、かねてより念願としていた地域初の本格的病院の建設に取り組みました。昭和8年市内山鹿町に360坪の土地を取得し、昭和10年4月に上棟式を迎え、11月3日若松公会堂にて招待者320名、東大医学部塩田広重教授より祝辞を頂き、盛大に祝賀会を執り行いました。11月1日の開院に合わせ、塩川五郎（竹田秀一実弟）が東大外科を辞し、副院長兼外科科長に就任しました。

ここから「理想の病院」の追求が始まり、昭和3年8月に医院を開業して6年後の昭和10年11月に病院となります。

兄弟2人体制となって病院開業時の職員数は総勢22名でした。内訳は医師4名、薬剤師1名、看護婦11名等です。

その後も急速に規模を拡大し、職員数が増加、創業16年目、病院となって10年目の昭和20年には4倍の

88名となりました。

同年8月8日の病院開設十周年には、五カ条からなる「今日の誓言」を定め、始業前の朝礼で唱和を開始しました。

朝礼には全職員が参加し、新人の紹介、新しい企画事項の伝達、業務上の注意事項、見学・出張等の報告等が共有されました。

組織の拡大、人員の増加に対応し情報の共有や規律の保持が徹底されていました。

昭和20年11月2日、竹田秀一院長は会津を訪れていた第二高等学校時代の恩師である、土井晩翠と東山院内で偶然再会し、東山温泉のクリニック兼保養所で談論高吟し、杯を重ねました。

竹田秀一の活躍をうれしく思った晩翠先生は、一夜で『竹田病院院歌』を作詞し、その後、福島市出身の作曲家古関祐而氏に曲を依頼し、昭和21年11月2日に披露されました。

それから7年後、創業から25年後の昭和28年8月15日、副院長塩川五郎は、ポルトガル・リスボン市で開催される国際外科学会に日本外科学会代表として参加し、その後半年間（昭和29年2月22日帰国）に渡り、欧州・米国の最新技術と医療施設を視察してきました。

昭和一桁は医院創業期、十年代は目標にしていた病院に発展し、その後は、虹を追って事業規模を急速に拡大していきます。

職員数は10人から183人に、病床数は480床となりました。そうなると人材育成が必要となり、情報共有と今日の誓言等で人材を育成し、組織を強固にしてきたのです。

創業した昭和3年から昭和20年代までの約30年で企業の寿命が到来するところですが、昭和28年8月からの欧州米国視察で先進医療を見聞し実現の必要性を認識してきたことが、帰国後に当院を第二の成長スパイラルに突入させることとなりました。

当院の第Ⅱ期成長スパイラル「最高の医療を全ての大衆へ」

半年にもわたる欧米視察から帰国後、診療・療養環境の近代化がスタートします。

昭和32年8月31日、市内初の鉄筋コンクリート造3階建て東病棟（3階病室、2階病室・人間ドック・高血圧センター、1階手術室等）病床60床が完成し、翌々月の10月には先天性心臓弁膜症の手術が実施されます。

4年後の36年5月には、東病棟95床増築工事が完成し急性期医療の近代化が急速に進展しました。東病棟増築工事の3年後、39年9月から約1か月、院長塩川五郎は米国シカゴ市で開催された国際外科学会に出席後、再度米国医療施設を視察しました。帰国後、病棟個室療養環境の向上、急性期リハビリ医療、精神医療、看護婦養成の機能整備に努めています。

40年7月には、鉄筋コンクリート造7階建て中央第1病棟312床が完成しました。新しい試みとしては応接セット等を配した特別個室を設け、また、寝台用エレベーター2基を導入し、高層病棟への対応をはかりました。運行はエレベーターガールが担当したそうです。

3年後の43年7月には鉄筋コンクリート造8階建て中央第2病棟333床が完成します。全ベッドにラジオ放送受信機を設置し、最上階には屋上庭園、噴水池を臨みジュークボックスを備えた展望ティールームを設け、また、精神医療の充実にも取り組みました。

40年12月、第Ⅰ期鉄筋コンクリート造2階建て南第1病棟、精神科開放病棟80床が完成し、2年後の42年7月には第Ⅱ期南第1病棟50床を増床し130床としました。

44年4月には床暖房付きリハビリホール（体育館）が完成し、同年12月には鉄筋コンクリート造5階建て南第2病棟（閉鎖病棟）154床が完成しました。

精神入院医療に必要な開放病棟と閉鎖病棟を一気に建設しています。

これに先立ち同年1月に東大リハビリセンターの上田部長に指導して頂いたリハビリテーションセンター（鉄筋コンクリート造2階建て）を完成させ、屋上に患者遊歩道、2階に高等看護学院、1階にリハビリテーションセンターを配置しました。

更に慢性期リハビリ機能は若松市近郊の芦ノ牧温泉に建設すべく44年1月に芦ノ牧土地組合と用地取得交渉を開始しました。結局、慢性期リハビリ機能を担当する芦ノ牧温泉病院がオープンするのは、17年後の61年11月となります。

中央病棟、精神病棟、リハビリセンターの機能整備を進めると、次は中央検査部門と手術室・分娩室・

急性期病棟の再整備が必要となりました。

用地の確保とともに、そういった機能の最適な配置を考慮したマスタープランの必要性が認識されるようになります。これが本館と研究棟の建替えに活かされていき、先ず、30年代に整備した東病棟、40年代に整備した中央病棟、精神病棟、リハセンターの配置を踏まえた建築計画を策定しました。

この難題に協力を頂いたのは、東北大学工学部建築学科の志賀教授と筧助教授でした。このマスタープランのもと建替えを進めていきます。

先ず、中央診療部門である第I期研究棟を建設し、診療継続を優先します。研究棟には、4階に病室、3階に医局、2階に検査部門、1階に放射線検査部門、地下にコバルト治療室・解剖室・電気室を配置しました。

中央診療機能の整備に続き、本館（地上12階、地下2階建て）の建設に着手し48年10月に着工しました。

ここには外来機能、中央診療部門、管理部門が入り、病棟配置は人体に倣って上から脳外科、耳鼻科、外科の各病棟、手術室、ICU、術後病棟、分娩室、中材、外来診察室という配置となりました。

地上高は、近くの鶴ヶ城より高くならないよう設計されました。

また、1日、1200人の外来患者数を想定し、ロビー、待合室などの共用空間を広く設定し、受付をオープンカウンターにして解放感を出すなど当時としては斬新な外来環境にしています。

建物は1階から4階までの低層階を広く設定し、その上に外科系病棟と管理部門を配置した基壇堂塔型となりました。


そして、50年6月本館が竣工しました。ベッド数は、1340床（一般964床、精神284床、結核60床、伝染32床）、職員数も931人となり10年前の2倍となりました。

昭和52年12月には、近郊の芦ノ牧温泉に保養所「竹苑」が完成し、その隣に、昭和61年11月に、慢性期リハビリ機能を担う芦ノ牧温泉病院88床が完成しました。

63年9月には32床増床し1120床となります。

63年7月には中央病棟西側駐車場に健診棟（3階に個室病棟12床、2階に人間ドック個室12床、1階と地下1階に健診センター・MRI）が完成し、有料個室希望と予防医療への対応もはかりました。

同年9月には創立60周年記念式典を開催しています。こうして医療機能の充実と病床規模の拡大の30年間が終了し新たなステップに進んでいくこととなります。

会社の寿命は30年

昭和3年から20年代までの30年間は、虹を追って、内科医院から病院へと発展成長しています。昭和30年代から昭和の終わりまでの30年間は、「最高の医療を全ての大衆へ」を理念に、医療機能充実と病床規模拡大で総合病院へと発展成長しました。

企業には、創業期・成長期・成熟期・衰退期といった会社（組織）のライフサイクルがあって、それぞれのライフサイクルで求められ、必要とされる経営の能力は異なっています。

創業期には、少人数で開発・生産・販売という事業・製品・商品・サービスのサイクルを回さなければなりません。

成長期には、事業・製品・商品・サービスの認知が進み、リピーターも増え、売上も伸び、投資の回収も進んで利益も増えますが、事業拡大のための人材不足や、資金確保に対応しなければなりません。

成熟期には、事業・製品・商品・サービスの成長が一段落し、売上・利益が安定し、内部留保も増え、経営的には安定しますが、事業の拡大を阻害する問題も明らかになりますので、それらの問題点に対応しなければなりません。

衰退期には、売上・利益が減り始め、人材の流出が始まり、資金調達も難しくなり、組織が衰退していくことに対応しなければなりません。

ですから衰退期に入る前に、次のライフサイクルにステップアップする必要があるのです。

会社を衰退させずに、次のライフサイクルにステップアップできるか否かは、経営者の時代を見通す見識（新しい事業・製品・商品・サービス導入のための調査・研究・開発等）と、決断力にあるといわれています。

あとがき

この本をお読みいただいた皆様に心よりお礼申し上げます。何の主義主張があるわけでもありません。旭英幸先生のクリニックのクロージングをメインディッシュに、あれこれのことを文章にして、本にまとめてみたものです。

郡山駅から磐越西線が新潟駅に向かって西へ西へとのびています。中山宿駅、猪苗代湖畔駅、猪苗代駅をへて会津若松駅までの1時間超えの車窓から眺める磐梯山は雄大で、猪苗代湖は絶景です。秋には稲穂が金色の絨毯のようにたなびき、冬は磐梯山の雪化粧が毎日変化していきます。鶴ヶ城と千本の桜のコントラストは悠久の歴史を語り掛けてきますし、広大な盆地の夏は生命力がみなぎっているような輝きを放ちます。

会津若松市にある一般財団法人竹田健康財団の役員であり、福島県外在住の私たちは、理事会開催日に郡山から会津若松までの往復の時間を共にすることが少なくありません。県外組最古参が今回のストーリーテラーの旭英幸理事です。竹田秀理事長の文章にもありますように、旭理事のご尊父は旧制第二高等学校（現東北大前身校）で竹田厚太郎先生の同窓生で竹馬の友です。このご子息というか2世同士ということで、いつも楽しそうに話し合われています。

竹田健康財団の役員は竹田秀理事長と10人の理事、2名の監事、14人の評議員からなる組織です。経営母体は高度急性期医療からリハビリテーション医療などを提供する竹田綜合病院（本田雅人院長）ですが、山鹿クリニック、芦ノ牧温泉病院、介護老人保健施設エミネンス芦ノ牧、竹田看護専門学校、介護本部が所管する介護保険事業や障がい福祉サービスなどを地域に提供しています。

本書は竹田健康財団の理事会の前後に歓談する機会が多い旭理事、恩田監事と小山の雑談時に、旭先生が「医院閉めたよ」というお話を受けて小山が企画したものです。理由はふたつあります。

ひとつは、竹田健康財団役員間で、クロージング前にクロージングの話を聴いた人はいないということです。これが当たり前なのかどうかわかりませんが、患者さんや地域のステークホルダーには3か月前ごろからそれとなく伝えていたらしいのです。しかし、地域の利害関係が生じる人以外には、知らせることはなかったとのことです。「1人で決断して1人だけやり遂げた」ということのようです。

もうひとつは「ハッピーなクロージング」であったという事実です。たまたまなのかもしれませんが、建物は新規開業する小児科医の先生が買い取り、旭先生を主治医としてどうしても診療を希望する患者さんは近隣の眼科で旭先生の診療を受けることができるらしいということをお聴きしました。クロージングしても誰にも迷惑を掛けていないということは、何とも美しい限りだと考えたのです。変な言い方かもしれませんが、撤退戦の勝利ケースだということです。

本書に原稿をいただいた皆様にはこの場を借りて御礼申し上げます。企画から1年間を費やしてしまいましたが、クリニックのクロージングということが、改めて大きなイベントであり、通常は困難が伴うということが、やっと自覚できました。また、この主題は、日本の地域医療の根幹にかかわる大きな課題だという明確な認識が、少なくとも原稿を寄せていただいた全員が共有できたことは嬉しい限りです。

恩田勲監事は公認会計士で、東京駅前の東京ミッドタウン八重洲内のGTMグループの代表です。そのご子息の恩田学様は副代表でありGTM税理士法人の代表社員です。齊藤宏和理事は弁護士で、兵庫県立大学経営専門職大学院ヘルスケア・マネジメント修士を修了されています。

筧淳夫理事は工学院大学の教授ですが前職は国立保健医療科学院の施設科学部長で小山の同僚です。三浦公嗣理事は公衆衛生医で、厚生労働省老人保健局長を勇退された後、大学教授を歴任され、日本健康・栄養システム学会理事長としても活躍されています。

財団本部長の東瀬多美夫様は、国立医療・病院管理研究所の病院管理専攻科に在籍され、病院管理についての3か月の総合的研修を修了されました。実はそれ以前に同コースで病院管理専攻科を修了されたのが竹田秀理事長です。筧理事ともども小山も国立医療・病院管理研究所の職員として専攻科の講師を務めました。

竹田健康財団では社会的環境が許す範囲で、竹田健康財団役員と幹部職員で年1度だけ交流会が開催されます。会津若松といえば、いわずと知れた酒どころで、日本酒は種類も味も香りもどこまでも奥深く、話は愉快で気分が高揚する時を共有することができます。そんなことから「竹田健康財団の仲間達」とさせていただきました。

なお、本書の第1部は、社会医療研究所所長の小山が月刊『社会医療ニュース』に掲載した記事の一部を加筆修文したものであることを、お断りいたします。社会医療研究所のホームページに初出の記事を公開しておりますので、ご覧いただければ幸いです。

本書の企画につきましては、小山が担当しましたが、編集は日本ヘルスケアテクノ株式会社の河内理恵子社長、校正は井出清彦様・永井南里様、装丁デザインは小山久美子様にご協力いただきました。この場を借りて、原稿をお寄せいただいた旭英幸先生はじめ「竹田健康財団の仲間達」の皆様に深謝いたしますとともに、竹田健康財団の皆様に厚く御礼申し上げます。

社会医療研究所　所長　小山秀夫

社会医療研究所
ホームページ：https://syakaiiryou-news.com
メールアドレス：shakaiiryou-news@nhtjp.com
住所：〒101-0047
東京都千代田区内神田1-3-9 KT-Ⅱビル4F
（日本ヘルスケアテクノ株式会社　内）

医療機関のクロージングを考える

あるクリニックの撤退ケース

2023 年 11 月 30 日 第 1 刷発行

著作者　旭英幸と竹田健康財団の仲間達

企　画　社会医療研究所

発行者　河内 理恵子

発行所　日本ヘルスケアテクノ株式会社

〒101-0047

東京都千代田区内神田 1-3-9 KT- Ⅱビル4F

HP https://www.nhtjp.com/

装　丁　小山 久美子

校　正　井出 清彦　永井 南里

印刷・製本　モリモト印刷株式会社

 ISBN 978-4-9912258-5-7